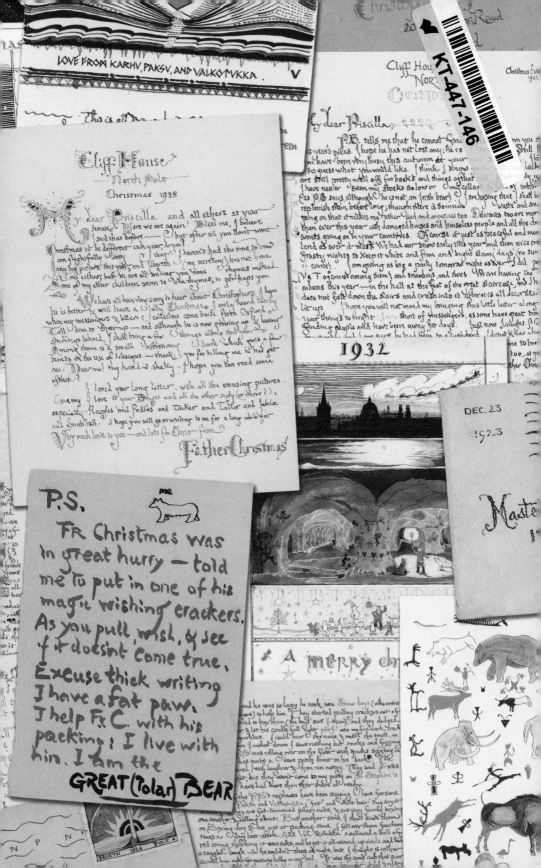

LISTY
ŚWIĘTEGO MIKOŁAJA

LISTY
ŚWIĘTEGO MIKOŁAJA

Pod redakcją Baillie Tolkien

Przełożyła
Paulina Braiter

ZYSK I S-KA
WYDAWNICTWO

Originally published in the English language by HarperCollins *Publishers* Ltd. under the title *Letters From Father Christmas*

Wydanie I w tej edycji

ISBN 978-83-8335-083-7

ZYSK I S-KA
WYDAWNICTWO

Zysk i S-ka Wydawnictwo
ul. Wielka 10, 61-774 Poznań
tel. 61 853 27 51, 61 853 27 67
Dział handlowy, tel./faks 61 855 06 90
sklep@zysk.com.pl
www.zysk.com.pl

„Nadchodzą święta! Ten niezwykły czas,
którego nie zdoła skazić żaden komercjalizm –
chyba że mu na to pozwolimy".

J. R. R. Tolkien.

During the fateful days before stocking-hanging (the badnesses of most of the past year being mercifully [?] forgotten). F.C. was a much more easy-going English sort of bloke, who filled the stockings of good and not-so-good, and paid more attention to children's letters, telling him of their hearts' desire, than to grown-ups' behaviour-reports.

But dears, S.C. was actually more in the Nicholas tradition, who paid much attention to merits — though I suppose he was supposed to know about them without the help of 'informers'.

Our F.C. was a very agreeable old fellow, who conducted a correspondence for almost 20 years with my children. Each year he sent in a queer hand (on wheels?) an account of the (often calamitous) events (at his

illustrated by pictures

House (near the N. Pole), especially during sorting and packing time rush-times with pictures. His troubles were largely due to the ineptitudes of his chief assistant the P(olar).B(ear). Also to the nefarious proceedings of goblins who invaded his store-cellars, and so provided a good explanation of why things specified as desirable did not turn up, but were replaced by substitutes.

His North Polar Stamps were quite good, and were apparently accepted by the P. Office — though how this was arranged was not revealed.

I shall keep most of this correspond-ence

W doniosłych dniach przed powieszeniem skarpet (kiedy to litościwie [?] puszczano w niepamięć niechlubne uczynki zeszłego roku), Ś[więty]. M[ikołaj]. był niefrasobliwym jegomościem o typowym uosobieniu Anglika, który napełniał skarpety zarówno tych grzecznych, jak i mniej grzecznych dzieci i przykładał znacznie większą wagę do ich listów, w których opowiadały mu o swoich największych pragnieniach, niźli do opowieści dorosłych o ich zachowaniu.

Oczywiście ten Ś[więty]. M[ikołaj]. w istocie bardziej wpasowywał się w tradycję prawdziwego świętego, którego o wiele bardziej interesowały zasługi — choć przypuszczam, że on akurat musiał o nich wiedzieć bez pomocy informatorów.

Nasz Ś.M. był bardzo miłym staruszkiem, który przez niemal dwadzieścia lat prowadził korespondencję z moimi dziećmi i co roku przysyłał im napisane drżącym pismem relacje, ilustrowane obrazkami, przedstawiającymi (często katastrofalne) wydarzenia z jego domu (niedaleko Bieguna Płn.), zwłaszcza podczas sortowania i pakowania prezentów. Problemy te w znacznej mierze wynikały z niekompetencji jego głównego pomocnika, N[iedźwiedzia] P[olarnego], a także z nikczemnych występków goblinów, które okradały jego magazyn, tym samym stanowiąc świetne wytłumaczenie tego, czemu najbardziej upragnione prezenty nie [zawsze] trafiały do skarpet, lecz zastępowały je namiastki.

Jego znaczki z Bieguna Północnego były całkiem niezłe i Poczta najwyraźniej je akceptowała — choć nigdy nie ujawnił, jak udało mu się to załatwić.

Wciąż przechowuję większość jego listów.

Wstęp

Dla dzieci J.R.R. Tolkiena Święty Mikołaj był nie tylko niezwykłą postacią wypełniającą prezentami skarpety na Boże Narodzenie. Co roku pisał też listy, w których za pomocą słów i obrazków przedstawiał swój dom, przyjaciół i zabawne bądź straszne wydarzenia na Biegunie Północnym.

Pierwszy z owych listów przyszedł w roku 1920, gdy John, najstarszy z rodzeństwa, miał trzy lata. Następne pojawiały się w każde święta przez ponad dwadzieścia lat, okres obejmujący dzieciństwo pozostałej trójki dzieci: Michaela, Christophera i Priscilli. Niekiedy koperty, obsypane śniegiem i opatrzone znaczkami pocztowymi z Bieguna Północnego, znajdowano w domu rankiem po odwiedzinach gościa; bywało też, że przynosił je listonosz. A listy pisane przez dzieci znikały z kominka, gdy nikogo nie było w pobliżu.

Z upływem czasu gospodarstwo na Biegunie Północnym się rozrastało. Na początku Święty Mikołaj wspominał jedynie o Niedźwiedziu Polarnym, później jednak pojawiają się śnieżne elfy, czerwone gnomy, śniegowi ludzie, niedźwiedzie jaskiniowe i siostrzeńcy Niedźwiedzia Polarnego: Paksu i Valkotukka, którzy przybyli z wizytą i nigdy nie wyjechali. Niedźwiedź Polarny pozostał głównym pomocnikiem Świętego Mikołaja i podstawową przyczyną klęsk prowadzących do ubytków i niedoborów w świątecznych skarpetach.

Czasami dopisywał w listach swe komentarze kanciastymi literami. Używał grubego pióra, bo miał ciężkie łapy.

Po latach Święty Mikołaj zatrudnił sekretarza, elfa imieniem Ilbereth. W późniejszych listach elfy odgrywają ważną rolę: bronią domu Świętego Mikołaja i jego piwnic z prezentami przed atakami goblinów. Ataki te często wyjaśniały, dlaczego nie dało się napełnić skarpet dzieci tym, co sobie wymarzyły, zastępując owe prezenty innymi.

W tej nowej edycji przedstawiamy wszystkie przykłady chwiejnego pisma Świętego Mikołaja. Odtworzyliśmy tu jego listy, ostemplowane koperty i wszystkie przysłane przez niego obrazki. Załączyliśmy także alfabet ułożony przez Niedźwiedzia Polarnego z goblinich rysunków na ścianach jaskiń, w których zabłądził, i napisany do dzieci list tym alfabetem.

Nieustająca popularność *Listów Świętego Mikołaja* pokazuje, że książka ta zyskała sobie entuzjastycznych czytelników, zarówno młodszych, jak i starszych. Wiele rodzin uwzględniło ją nawet w swoich rodzinnych tradycjach, odczytując po jednym liście każdego dnia wiodącego do Wigilii — wygląda zatem na to, że magia Bożego Narodzenia będzie trwać wiecznie.

Christmas House
NORTH POLE
1920

LOVE to
daddy, mummy
michael & auntie
& mary

Dear John,

I heard you ask daddy
what I was like & where
I lived. I have drawn
ME & My House for you.
Take care of the picture.
I am just off now for
Oxford with my bundle
of toys — some for you.
Hope I shall arrive in
time : the snow is very
thick at the NORTH POLE
tonight : yr loving Fr. Chr.

Dom Świąteczny,
Biegun Północny
22 grudnia 1920 roku

Kochany Johnie!

Słyszałem, że pytałeś tatę, jak wyglądam i gdzie mieszkam. Narysowałem Ci mój portret i dom. Dobrze pilnuj tego obrazka. Właśnie wyruszam do Oksfordu. Wiozę sporo zabawek — część dla Ciebie. Mam nadzieję, że zdążę na czas. Na Biegunie Północnym pada dziś bardzo gęsty śnieg.

Twój kochający
Święty Mikołaj

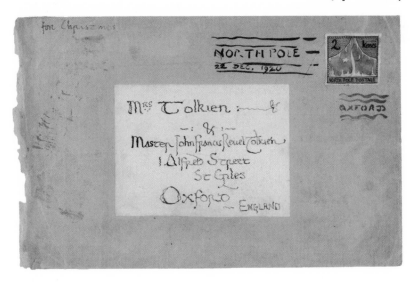

DEC. 23
1923

NORTH · POLE
POST

Master John Francis Tolkien
11. St Marks Terrace
Woodhouse Lane
Leeds

Biegun Północny
wigilia Bożego Narodzenia 1923 roku

Mój drogi Johnie!

Dziś jest bardzo zimno i bardzo trzęsie mi się ręka — w Boże Narodzenie skończę tysiąc dziewięćset dwadzieścia cztery — nie! siedem! — lat. To znacznie więcej, niż miałby twój pradziadek, toteż nie mogę powstrzymać drżenia ręki. Słyszałem jednak, iż ostatnio dobrze radzisz sobie z czytaniem, więc zapewne z łatwością odczytasz mój list.

Przesyłam mnóstwo serdeczności (także dla Michaela) i mnóstwo klocków (a jeśli w przyszłym roku dasz mi znać dostatecznie wcześnie, dostaniesz ich jeszcze więcej). Myślę, że te klocki okażą się trwalsze, mocniejsze i ładniejsze niż zeszłoroczne. Mam nadzieję, że Ci się spodobają.

Muszę już ruszać w drogę. Jest piękny wieczór, a tej nocy mam do pokonania setki mil i wiele spraw do załatwienia.

Zimne ucałowania
od Świętego Mikołaja

Christmas Eve : 1923   North Pole

My dear John

It is very cold to day and
my hand is very shaky ————
I am nineteen hundred and twenty
no! seven!
four years old on Christmas day,
& is older than your great-grandfather,
so I can't stop the pen wobbling,
but I hear that you are getting
so good at reading that I expect
you will be able to read my letter

I send you lots of love (and lots for
Michael too) and Lots Brick too
(which are called that because there
are lots more for you to have next year
if you let me know in good time)
I think they are prettier and stronger
and tidier than Preabrix, so I hope
you will like them. Now I
must go; it is a lovely fine night
and I have got hundreds of miles
to go before morning — there is such
a lot to do — a cold kiss from
Fr. Nicholas Christmas

Dec 23. 1924

John Francis

with love

from
Father Christmas

Dear John Hope you
have a happy Christ-
mas. Only time
for a short letter, my
Sleigh is waiting. Lds
of new stockings to fill this
year. Hope you will like
station & things. A
big kiss

23 grudnia 1924 roku

Kochany Johnie!

Oby święta były dla Ciebie bardzo udane. Mam czas tylko na krótki list, sanie już czekają. W tym roku muszę napełnić mnóstwo nowych skarpet. Mam nadzieję, że spodoba Ci się nowa stacja i kolejka.

Całuję gorąco.
Pozdrowienia
Święty Mikołaj

PS

Święty Mikołaj okropnie się śpieszył — kazał mi dołączyć jedno ze swych magicznych ciasteczek. Rozłamując je, pomyśl życzenie i sprawdź, czy się spełni. Przepraszam za grube pismo, ale mam ciężką łapę. Pomagam Świętemu Mikołajowi pakować prezenty. Mieszkam z nim. To ja, WIELKI (Polarny) NIEDŹWIEDŹ.

P.S.

me

FR Christmas was in great hurry — told me to put in one of his magic wishing crackers. As you pull, wish, & see if it doesnt come true. Excuse thick writing I have a fat paw. I help Fr C. with his packing: I live with him. I am the

GREAT (Polar) BEAR

Dec 23. 1924

Michael Hilary

with love
from
Father, Christmas

I am
very busy this year; no
time for letter. Lots of
love. Hope the engine
goes well. Take care
of it. A big kiss

Kochany Michaelu Hilary!

Jestem w tym roku bardzo zajęty. Nie mam czasu na pisanie. Pozdrawiam Cię serdecznie. Mam nadzieję, że lokomotywa dobrze się spisze. Nie zniszcz jej. Całuję gorąco.

Pozdrowienia
Święty Mikołaj

. PS .

Inside you will find
a magic wishing cracker:
pull and wish for what
you want, & see if you
don't get it next Christ-
-mas. Fr C. went off
in great hurry: so many
presents sleigh wouldn't
start. I have got to post
this for him at the North
Pole. Do you like my writ-
-ing? I have a fat paw.
I am the
GREAT (Polar) BEAR

Moje gwiazdy

PS

Wewnątrz znajdziesz magiczne ciasteczko: pociągnij i pomyśl, o czym marzysz, a potem przekonaj się, czy dostaniesz to za rok na Gwiazdkę. Święty Mikołaj ruszył w drogę w wielkim pośpiechu: miał tyle prezentów, że sanie nie chciały nawet drgnąć. Muszę to wysłać w jego imieniu z Bieguna Północnego. Podoba ci się moje pismo? Mam ciężką łapę. To ja, WIELKI (Polarny) NIEDŹWIEDŹ.

Cliff House
Top of the world
Near the North Pole

My dear boys

I am dreadfully busy this year — it makes my hand more shaky than ever when I think of it — and not very rich: in fact awful things have been happening, and some of the presents have got spoilt and I haven't got the North Polar Bear to help me, and I have had to move house just before Christmas, so you can imagine what a state everything is in, and you will see why I have a new address, and why I can only write one letter between you both. It all happened like this: one very windy day last November my hood blew off and went and stuck on the top of the North Pole. I told him not to, but the N.P. Bear climbed up to the thin top to get it down — and he did. The pole broke in the middle, and fell on the roof of my house, and the N.P. Bear fell through the hole it made into the dining room with my hood over his nose, and all the snow fell off the roof into the house and melted and put out all the fires and ran down into the cellars where I was collecting this year's presents, and the N.P. Bear's leg got broken. He is well again now, but I was so cross with him that he says he won't try to help me again. I expect his temper is hurt, and will be mended by next Christmas. I send you a picture of the accident, and of my new house on the cliffs above the N.P. with beautiful cellars in the cliffs. If John can't read my old shaky writing (I ages old) he must get his father to. When is Michael going to learn to read, and write his own letters to me? Lots of love to you both and Christopher, whose name is rather like mine.

That's all: Goodbye Father Christmas

Dom na Skale,
Wierzchołek Świata,
obok Bieguna Północnego
Boże Narodzenie 1925 roku

Kochani Chłopcy!

Jestem w tym roku okrutnie zajęty — na samą myśl ręka trzęsie mi się jeszcze bardziej niż zwykle — i niezbyt bogaty. Prawdę mówiąc, zdarzyło się kilka okropnych rzeczy. Część prezentów uległa zniszczeniu, a Niedźwiedź Polarny nie może mi pomóc. Tuż przed świętami musiałem się przeprowadzić, wyobrażacie więc sobie, co się tu dzieje. Dlatego mam teraz nowy adres i mogę napisać tylko jeden list do Was obu.

Oto, co się stało: pewnego bardzo wietrznego listopadowego dnia wiatr zdmuchnął mi czapkę i porwał na czubek Bieguna Północnego. Protestowałem, ale Północny Niedźwiedź Polarny wdrapał się na sam cieniutki szczyt Bieguna, żeby ją zdjąć. Wtedy Biegun pękł pośrodku i runął na dach mojego domu, a Niedźwiedź Polarny wpadł przez zrobioną przez siebie dziurę do jadalni, z moją czapką na nosie. Cały śnieg z dachu poleciał za nim. Topiąc się, zgasił wszystkie ognie i przeciekł do piwnic, gdzie zbierałem tegoroczne prezenty, a Niedźwiedź Polarny złamał sobie nogę.

To
John & Michael
Tolkien

from

Father Christmas

1925

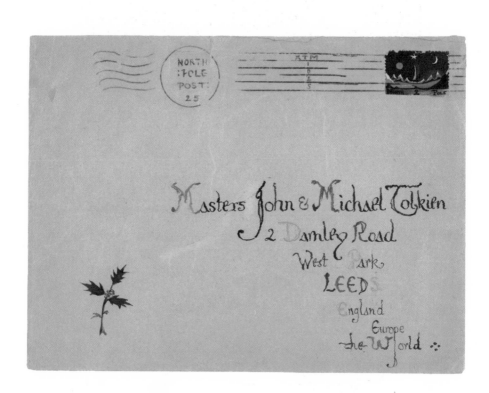

Masters John & Michael Tolkien
2 Darnley Road
West Park
LEEDS
England
Europe
the World ∴

Teraz czuje się już dobrze, ale byłem na niego taki zły, iż oznajmił, że więcej mi nie pomoże. Chyba zraniłem jego dumę. Do następnych świąt powinno mu przejść.

Wysyłam Wam obrazek przedstawiający to zdarzenie oraz mój nowy Dom na Skale nad Biegunem Północnym (w skale wykopałem wspaniałe piwnice). Jeśli John nie zdoła przeczytać mojego trzęsącego się pisma (w końcu mam już tysiąc dziewięćset dwadzieścia pięć lat), niech poprosi o pomoc ojca. Kiedy Michael nauczy się czytać i zacznie pisać do mnie listy? Ucałowania dla Was obu, a także dla Christophera, nazwanego imieniem innego świętego.

To wszystko, do widzenia
Święty Mikołaj

Dom na Skale,
Wierzchołek Świata,
obok Bieguna Północnego
20 grudnia 1926 roku, poniedziałek

Kochani Chłopcy!

W tym roku jestem jeszcze bardziej roztrzęsiony niż zwykle. Czyja to wina? Niedźwiedzia Polarnego! To był największy wybuch świata, najogromniejsze sztuczne ognie w dziejach. Przypalił Biegun Północny na CZARNO, ruszył z posad wszystkie gwiazdy i rozłamał Księżyc na czworo. Człowiek z Księżyca wpadł do mojego ogrodu i zanim poczuł się lepiej i wrócił, by naprawić Księżyc i umocować na miejscach gwiazdy, zjadł prawie wszystkie świąteczne czekoladki.

Wkrótce potem odkryłem, że uciekły renifery. Biegały na oślep po okolicy, zrywając lejce i sznury i wyrzucając prezenty w powietrze. Widzicie, były już zaprzężone — to wszystko działo się dziś rano i miałem przyszykowane sanie pełne czekoladowych przysmaków, które zawsze wysyłam do Anglii nieco wcześniej. Mam nadzieję, że wasze nie zostały zanadto uszkodzone.

Co za niemądry Niedźwiedź Polarny! I w dodatku wcale nie czuje się winny. Oczywiście, że to jego sprawka — pamiętacie,

Cliff House
Top of the World
Near the NORTH POLE
Monday Dec. 1926. 20th

My dear boys,

I am more shaky than usual this year.
The North Polar Bear's fault! It was the biggest
bang in the world, & the most monstrous firework there
ever has been. It turned the North Pole BLACK &
shook all the stars out of place, broke the moon into
four — and the Man in it fell into my back garden. He
ate quite a lot of my Xmas chocol-C-ates before he
said he felt better & climbed back to mend it and get the
stars tidy. Then I found out that the reindeer had broken loose.
They were run-ning all over the country, breaking reins and ropes
& dragging presents cups in the air. They were all packed up
to start, you see,— yes it only happened this morning; it was a sleigh load
of chocolate things — which I always send to England early. I hope
yours are not badly damaged. But isn't the N.P.B silly? And
he isn't a bit sorry!. Of course he did it — you remember I
had to move last year because of him? The tap for turning on
the Rory Bory Aylis fireworks is still in the cellar of my
old house. The N.P.B. knew he must never never touch it. I only let
it off on special days like Christmas. He says he thought it was cut off since
we moved — anyway he was nosing round the ruins this morning soon
after breakfast (he hides things to eat there) and turned on all the Northern
Lights for two years in one go. You have never heard or seen anything
like it. I have tried to draw a picture of it, but I am too shaky to
do it properly and you can't paint fizzing light can you?
I think the P.B has spoilt the picture rather — of course he can't draw with
those great fat paws — by going and putting a bit of his own (in the middle) about me chasing
the reindeer and him laughing. He did laugh too. So did I when I saw him

PTO

33

Love from Father Christmas
1926.

Drawn by Fr. C.

AND ME
NPB.

że w zeszłym roku musiałem się przez niego przeprowadzić? Kurek uruchamiający fajerwerki zorzapolarniane został w piwnicy mojego starego domu. Niedźwiedź Polarny wiedział, że nigdy, pod żadnym pozorem nie wolno mu go dotknąć. Zapalałem te ognie bardzo rzadko, tylko na szczególne okazje, takie jak Boże Narodzenie. Twierdzi, że sądził, iż po przeprowadzce zakręciłem kurek.

Dziś rano, tuż po śniadaniu, węszył w ruinach (chowa tam swoje przysmaki) i w jednej chwili odpalił zorzę polarną przeznaczoną na dwa lata. Nigdy czegoś takiego nie widzieliście ani nie słyszeliście. Próbowałem narysować Wam obrazek, ale jestem zbyt roztrzęsiony, by zrobić to dobrze, a poza tym nie da się namalować syczących świateł, prawda?

John, Michael, & Christopher Tolkien.
22 Northmoor Road
Oxford
England

trying to draw reindeer, and inking his nice white paws.

FATHER X. had to hurry away and leave me to finish. He is old and gets worried when funny things happen. You would have laughed too! I think it is good of me laughing! It was a lovely firework. The reindeer will run quick to England this year. They are still frightened! ————

I must go and help pack. I don't know what F.C would do without me. He always forgets what a lot of packing I do for him. ————

The Snow Man is addressing our envelopes this year. He is F.C's gardener – but we don't get much but snowdrops and frost-ferns to grow here. He always writes in white, just with his finger. ————

A merry Christmas to you from . **NPB** .

And love from Father Christmas to you all.

Uważam, że Niedźwiedź Polarny na dodatek zepsuł obrazek — nie potrafi rysować swymi wielkimi, grubymi łapami —

Nieprawda! Potrafię — i umiem też pisać. A moje litery się nie trzęsą.

dorysowując mnie ganiającego renifery i siebie, jak zaśmiewa się do rozpuku. Rzeczywiście się śmiał. Ja też, gdy ujrzałem, jak próbuje narysować renifera i macza w atramencie swe bielutkie łapy.

Święty Mikołaj musiał już iść. Poprosił, abym skończył za niego. Jest stary i przejmuje się nawet śmiesznymi rzeczami. Wy też byście się śmiali. Myślę, że dobrze zrobiłem. To były piękne fajerwerki. W tym roku renifery szybko dobiegną do Anglii. Wciąż są wystraszone...

Muszę iść i pomóc mu w pakowaniu. Nie wiem, co począłby beze mnie. Zawsze zapomina, jak bardzo mu pomagam.

W tym roku koperty adresuje Śniegowy Człowiek. To ogrodnik Świętego Mikołaja, ale tu, na Biegunie Północnym, rosną tylko przebiśniegi i paprocie, które mróz rysuje na szybach. Śniegowy Człowiek zawsze pisze na biało, własnym palcem.

Niedźwiedź Polarny życzy Wam wesołych świąt

A Święty Mikołaj pozdrawia Was wszystkich

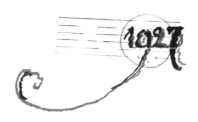

Dom na Skale,
Wierzchołek Świata,
obok Bieguna Północnego
21 grudnia 1927 roku, środa

Kochani, wygląda na to, że co roku jest Was więcej.

Ja tymczasem robię się coraz biedniejszy. Mam jednak nadzieję, że zdołałem przynieść każdemu z was coś upragnionego, choć z pewnością nie wszystko. (A przynajmniej

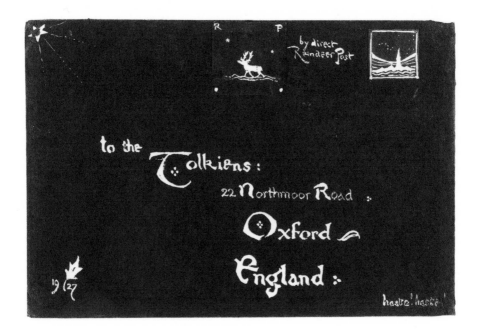

Cliff House
Top o' the World
near the North Pole

Wednesday December 21st 1927

My dear people: John, Michael, Christopher, also Priscilla, also Mummy, also (with a smile) also Daddy, there seem to get more & more of you every year, & I get older & poorer: still I hope that I have managed to bring you all something you wanted, though not everything you asked for (Michael & Christopher!). I haven't heard from John this year; I suppose he is growing too big and won't want hang up his stocking soon. It has been so bitter at the North Pole lately that the NPB (you know who I mean) has spent most of the time a-sleep and has been less use than usual this Xmas. The North became colder than any cold thing ever has been & when the NPB put his nose against it, it took the skin off, that is why it is bandaged with red flannel in the picture (but the bandage has slipped). Why did he? I don't know, but he is always putting his nose where it ought'nt to be — into my cupboards for instance.

Also it has been very dark here since winter began. We haven't seen the Sun of course for three months but there were Northern lights this year — you remember the awful accident last year? There will be none again until the end of 1928. The NPB has got his cousin (and distant friend) the **GREAT BEAR** to shine extra bright for us, and this week I have hired a comet to do my packing by, but it does'nt work as well — you can see that by my picture. The North Polar Bear has not really been any more sensible this year: yesterday he was snowballing the Snow Man in the garden & pushed him over the edge of the cliff so that he fell into my sleigh at the bottom & broke lots of things — one of them was himself. I used some of what was left of him to paint my white picture. We shall have to make ourselves a new gardener when we are less busy.

The MAN in the MOON paid me a visit the other day — a fortnight ago exactly December 6th — he often does about this time as he gets lonely in the Moon, and we make him a nice little plum pudding (he is so fond of things with plums in!). His fingers were cold as usual, & the NPB made him play "snapdragons" to warm them. Of course he burnt them, & then he licked them, and then he liked the brandy, and then the Bear gave him lots more, and he went fast asleep on the sofa. Then I went down into the cellars to make crackers, and he rolled off the sofa, and the wicked bear pushed him underneath & forgot all about him! He can never be away a whole night from the moon; but he was this time. Suddenly the Snow Man (he wasn't broken then) rushed in out of the garden next day just after teatime, and said the moon was going out! The dragons had come out & were making an awful smoke and smother. We rolled him out and shook him & he simply whizzed back, but it was ages before he got things quite cleared up.

Michaelowi i Christopherowi! W tym roku John nie odezwał się do mnie. Chyba robi się już za duży. Wkrótce przestanie wieszać skarpetę).

Ostatnio na Biegunie panuje taki mróz, że Niedźwiedź Polarny (wiecie, o kogo mi chodzi?) przesypia większość czasu i pomaga mi jeszcze mniej niż zwykle.

Oczywiście, że wiecie! Wszyscy przesypiamy tu większość czasu — zwłaszcza Święty Mikołaj.

Biegun Północny strasznie się ochłodził i stał się zimniejszy niż cokolwiek na świecie. Kiedy Niedźwiedź Polarny przytknął do niego nos, całkiem zeszła mu skóra. Musieliśmy go zabandażować czerwoną szmatką. Czemu to zrobił? Nie wiem, ale zawsze wtyka nos, gdzie nie trzeba — na przykład do mojego kredensu.

Bo jestem głodny.

No i odkąd nastała zima, zrobiło się bardzo ciemno. Oczywiście słońca nie widzieliśmy od trzech miesięcy, ale w tym roku nie ma też zorzy polarnej — pamiętacie okropny zeszłoroczny wypadek? Następna zaświeci dopiero pod koniec 1928 roku. Niedźwiedź Polarny poprosił swą kuzynkę (i daleką znajomą) Wielką Niedźwiedzicę, by przyświecała nam jaśniej niż zwykle. Tydzień temu wynająłem też kometę, by

świeciła podczas pakowania, ale niewiele to dało — widać to na moim obrazku.

W tym roku Niedźwiedź Polarny nie zachowywał się wcale rozsądniej.

Byłem zupełnie rozsądny i nauczyłem się pisać piórem w pysku zamiast pędzlem.

Wczoraj bił się na śnieżki w ogrodzie ze Śniegowym Człowiekiem i zepchnął go ze skały. Śniegowy Człowiek spadł wprost na stojące w dole sanie i rozbił mnóstwo rzeczy — łącznie z sobą samym. To, co z niego zostało, zużyłem, malując biały obrazek. Kiedy będziemy mieć trochę mniej pracy, ulepimy sobie nowego ogrodnika.

Niedawno — dokładnie dwa tygodnie temu — złożył mi wizytę Człowiek z Księżyca. Często wpada o tej porze roku, bo na Księżycu czuje się samotny. Przyrządzamy mu wtedy pyszny pudding śliwkowy (uwielbia wszystko ze śliwkami!).

Człowiek z Księżyca jak zwykle miał zimne palce i za namową Niedźwiedzia Polarnego dla rozgrzewki zagrał w pstryczki. Oczywiście poparzył się, potem oblizał palce, potem posmakował koniak, którego Niedźwiedź ciągle mu dolewał, a w końcu zasnął na sofie. Zszedłem do piwnicy, by upiec

I believe he had to let loose out of this simple terrificalest freezing magics before he could drive the dragons back into their holes, and that is why it has got so cold down here. The Polar Bear only laughs when I tell him it his fault, he curls up on my hearthrug & won't do anything but snore.

My messengers told me that you have somebody from Iceland staying with you. That is not so far from where I live & nearly as cold. People don't hang up stockings there, & usually pass by in a hurry though (sometimes) pass down and leave a thing or two for their very jolly Christmas Trees. My usual way is down through Norway, Denmark, Germany, Switzerland, and then back through Germany, Northern France, Belgium, land & into England, & on the way home I pass over the sea, and sometimes Iceland, & I can see the twinkling lights faint in the valleys under their mountains. But I go by quick as my reindeer gallop as hard as they can there — they always say they are frightened a volcano or a geysir will go off underneath them.

This must be all: I have written you a very long letter this year to make up for the dark card — there was (nothing to draw, but dark & snow and stars). Love to you all, and happiness NEXT Year

Your loving

Father Christmas

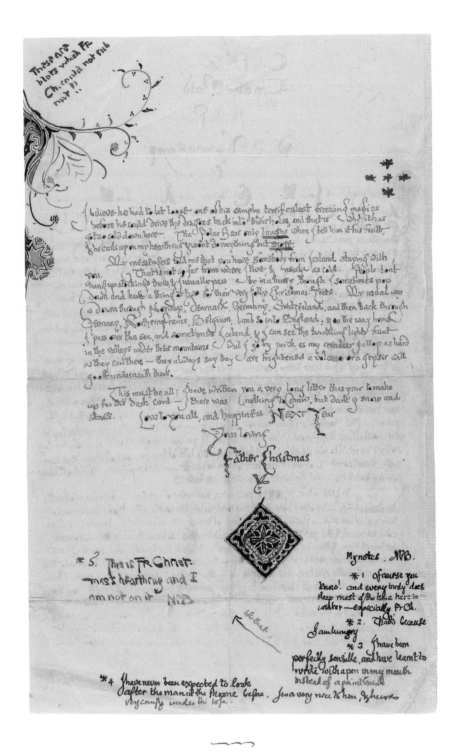

My notes. NPB.

* 1 Of course you know! and everybody does sleep most of the time here in winter — especially Fr Ch.

* 2. That's because I am hungry

* 3 I have been perfectly sensible, and have learnt to write with a pen in my mouth instead of a paintbrush

* 4 I have never been expected to look after the man in the throne before. I was very nice when I he was very comfy under the sofa.

ciasteczka, a on spadł na podłogę. Niegrzeczny Niedźwiedź wepchnął go pod sofę i zupełnie o tym zapomniał. Człowiekowi z Księżyca nie wolno na całą noc schodzić na Ziemię, tym razem jednak to zrobił.

Nigdy wcześniej nie opiekowałem się Człowiekiem z Księżyca. Byłem dla niego bardzo miły i świetnie mu się spało pod sofą.

Następnego dnia po podwieczorku do domu wpadł nagle Śniegowy Człowiek (wtedy jeszcze cały) z krzykiem, że Księżyc gaśnie. Smoki wyszły ze swych kryjówek i okropnie kopciły i dymiły. Pospiesznie wyciągnęliśmy spod sofy Człowieka z Księżyca i obudziliśmy go, a on tylko śmignął w górę. Minęły jednak całe wieki, nim wszystko posprzątał.

Mam wrażenie, że musiał użyć jednego ze swych najprzestraszliwszych lodowych czarów, by zagnać smoki z powrotem do jam. Dlatego mamy teraz aż taki mróz.

Kiedy mówię, że to wszystko jego wina, Niedźwiedź Polarny tylko się śmieje, zwija w kłębek na dywanie przed kominkiem i chrapie.

Posłańcy wspominali, że mieszka u Was ktoś z Islandii. Kraj ten leży niedaleko mojego domu i jest tam prawie tak zimno jak tutaj. Tamtejsi mieszkańcy nie wieszają skarpet, toteż przelatuję nad nimi w pośpiechu, czasem jednak podrzucam kilka drobiazgów pod wesoło przystrojone choinki.

Zazwyczaj wybieram trasę przez Norwegię, Danię, Niemcy, Szwajcarię i z powrotem przez Niemcy, północną Francję,

Belgię i wreszcie Anglię. W drodze powrotnej przelatuję nad morzem i czasami nad Islandią. Widzę wtedy migoczące światełka w dolinach pod górami. Prędko jednak znikam, bo moje renifery galopują tam z całych sił — twierdzą, że boją się wulkanu czy gejzeru, który mógłby im wybuchnąć pod nogami.

To już wszystko. W tym roku napisałem do Was bardzo długi list, bo nie miałem co rysować: tylko ciemność, śnieg i gwiazdy.

Całuję Was wszystkich i życzę szczęścia w nadchodzącym roku.

Wasz kochający Święty Mikołaj

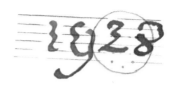

Wierzchołek Świata,
Biegun Północny
20 grudnia 1928 roku, czwartek

Kochani Chłopcy!

Mamy kolejne święta i — podobnie jak Wam — mnie także
przybył następny rok. Czuję się jednak całkiem dobrze — bardzo miło ze strony Michaela, że zapytał — i nie jestem zbytnio
roztrzęsiony. To dlatego, że znów mamy porządne ogrzewanie
i oświetlenie po zimnym, ciemnym roku 1927. Pamiętacie?

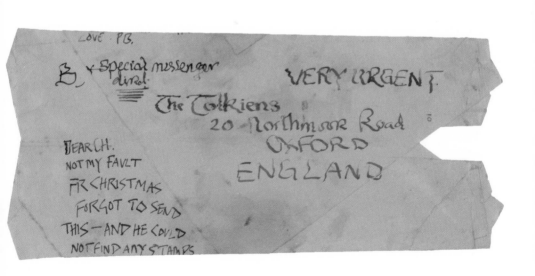

"Top o' the World"
NORTH POLE

Thursday December 20th
1928

My Dear Boys

ANOTHER CHRISTMAS and I am another year older — and so are you. I feel quite well all the same — very nice of MICHAEL to ask — and not quite so shaky. But that is because we have got all the lighting and heat[ing] right again after the cold dark year we had in 1927 — you remember about it? And I expect you remember whose fault it was? What do you think the poor dear old bear has been and done this time? Nothing as bad as letting off all the lights. Only fell from top to bottom of the main stairs on Thursday! We were beginning to get the first lot of parcels down out of the storerooms into the hall. PB would insist on taking an enormous pile on his head as well as lots in his arms. Bang Rumble Clatter Crash! awful moanings and growlings: I ran out on to the landing and saw he had fallen from top to bottom onto his nose leaving a trail of balls bundles parcels & things all the way down — and he had fallen on top of some and smashed them. I hope you got none of these by accident? I have drawn you a picture of it all. PB was rather grumpy at my drawing it: he says my Christmas pictures always make fun of him & that one year he will send one drawn by himself of me being idiotic (but of course I never am, and he can't draw well enough). He joggled my arm and spoilt the little picture at the bottom of the moon

WHO LEFT THE SOAP ON THE STAIRS? NOT ME!

OF COURSE NATURALLY

YES I CAN I DREW FLAG AT END.

48

Podejrzewam też, że pamiętacie, czyja to była wina. Jak sądzicie, co tym razem zmalował kochany stary miś? Nic tak strasznego jak spalenie zorzy. Spadł tylko we czwartek z samego szczytu schodów!

Kto zostawił mydło na shodach? Nie ja!

Zaczęliśmy właśnie wynosić ze składów pierwsze paczki i układać je w holu. Niedźwiedź Polarny oprócz naręcza prezentów uparł się nieść cały ich stos na głowie. I nagle... łubu-dubu, łup-chrup! Przeraźliwe wrzaski i jęki.

Wbiegłem na podest i przekonałem się, że zleciał ze schodów na nos, pozostawiając za sobą rozrzucone piłki, zawiniątka, paczki i prezenty. Do tego spadł na gotowe pakunki i część kompletnie zmiażdżył. Mam nadzieję, że żaden z nich nie trafił przypadkiem do Was. Wszystko to Wam narysowałem. Niedźwiedź Polarny nie był zachwycony.

Oczywiście, rzecz jasna.

Twierdzi, że moje świąteczne obrazki zawsze go ośmieszają i że kiedyś wyśle coś od siebie, rysunek przedstawiający mnie samego zachowującego się głupio (ale oczywiście ja nigdy się tak nie zachowuję, a poza tym on nie umie rysować).

Owszem, umiem. To ja narysowałem flagę na końcu.

Trącił mnie w rękę i zepsuł mały rysunek na dole, przedstawiający roześmiany Księżyc i Niedźwiedzia grożącego mu pięścią.

Kiedy się pozbierał, wybiegł na dwór i nie chciał pomóc w sprzątaniu, bo gdy tylko się przekonałem, że nic się nie stało, usiadłem na schodach i zacząłem się śmiać. Dlatego właśnie Księżyc się uśmiecha. Musiałem jednak odciąć kawałek z rozgniewanym Niedźwiedziem, bo go zamazał.

Pomyślałem też, że zechcecie dla odmiany obejrzeć wnętrze mojego nowego domu. W głównym holu, pod największą kopułą, układamy prezenty, by potem móc je załadować prosto na sanie. Prawie wszystko zbudowaliśmy sami z Niedźwiedziem Polarnym i wyłożyliśmy błękitnymi i fiołkowymi płytkami. Poręcze i dach nie są całkiem proste...

Nie moja wina. To Święty Mikołaj robił poręcze.

...ale nie ma to żadnego znaczenia. Potem namalowałem na ścianach drzewa, gwiazdy, słońca i księżyce i powiedziałem do Niedźwiedzia Polarnego:

— Lądy zostawiam tobie.

— Myślę, że na zewnątrz jest już dość lodu — odparł — a kolory w tym domu, szare, fioletowe, niebieskie i zielone, są i tak dostatecznie zimne.

— Nie bądź niemądry — rzekłem. — Postaraj się zrobić to ładnie.

I wiecie, co zrobił?! Wokół holu porozwieszał z sopli napis LODY (ortografia nie jest jego mocną stroną),

Giń.

a lądy na ścianach namalował okropnie jaskrawymi barwami, żeby ogrzać wnętrze!

Moi kochani, mam nadzieję, że spodobają się Wam rzeczy, które przywiozę. Mam niemal wszystko, o co prosiliście, i mnóstwo innych drobiazgów, które przyszły mi na myśl w ostatniej chwili. Liczę też, że będziecie wspólnie bawić

laughing and PB shaking his fist at it. When he had picked him-
self up he ran out of doors & would'nt help clear up be|cause I
sat on the stairs and laughed as soon as I found there was not much
damage done — that is why the moon smiled : as you can see, but the
part showing PB angry was cut off because he smudged it.
But anyway I thought you would like a picture of the INSIDE of my
new big house for a change. This is the chief hall under the largest dome,
where we pile the presents usually ready to load on the sleighs at the doors.
PB & I built it nearly all ourselves, and laid all the blue and mauve tiles
The banisters and roof are not quite straight, but it does'nt really matter.
I painted the pictures on the walls of the trees and stars and suns and
moons. Then I said to PB "I shall leave the freeze to you." He said
'I should have thought there was enough freeze outside — and your
colours inside, all purply-greyzy-bluey-palegreeny are cold enough too'
I said "don't be a silly bear: do your best, there's a good old polar" — and
look at the result!! Icicles all round the hall to make a freeze (he
can't spell very well), and fearful bright colour to make a warm freeze!!
Well my dears I hope you will like the things I am bringing: nearly all you
asked for and lots of other little things you did'nt, & which I thought of
at the last minute. I hope you will share the railway things and farm
and animals often, and not think they are absolutely only for the one whose
stocking they were in. Take care of them for they are some of my very
best things. Love to Chris: love to Michael: love to John who
must be getting very big as he does'nt write to me any more (so I simply
had to guess paints — I hope they were all right: PB chose them; he says
he knows what John likes because J. likes bears)

Your loving ⚹ ⚹ ⚹

NOT MY
FAULT
F.C. DID
BANISTERS

ROT

AND
MY LOVE
PB

się kolejką, farmą i zwierzętami, nie zachowując się, jakby należały one tylko do tego, w czyjej skarpecie się znalazły. Dbajcie o nie. To moje najlepsze prezenty.

Ucałowania dla Chrisa, dla Michaela i dla Johna, który pewnie bardzo już urósł i przestał do mnie pisać (musiałem zatem sam zgadnąć, że będzie chciał farby — mam nadzieję, że są odpowiednie; wybrał je Niedźwiedź Polarny, który twierdzi, że wie, co lubi John, bo John lubi niedźwiedzie).

Wasz kochający Święty Mikołaj
Ja też Was pozdrawiam, Niedźwiedź Polarny

BOXING DAY
1928

I am frightfully
sorry — I gave
this to the P.B. to
post and he forgot
all about it! We
found it on the hall
table to-day.

But you must forgive
him: he has worked
very hard for me & is
dreadfully tired. We
have had a busy Christ-
mas. Very windy here:
It blew several sleighs
over before they could
start—

Love again

FC

Drugi dzień świąt, 1928 rok

Strasznie mi przykro. Dałem ten list do wysłania Niedźwiedziowi Polarnemu, a on zupełnie o nim zapomniał. Znaleźliśmy go dopiero dziś rano na stole w holu.

Musicie Niedźwiedziowi wybaczyć. Bardzo ciężko pracował
i jest okropnie zmęczony. Mamy za sobą bardzo pracowite
święta. Strasznie tu wieje. Wiatr zdmuchnął z nieba kilka sań,
nim zdążyły ruszyć w drogę.

Raz jeszcze całuję, Święty Mikołaj

Listopad 1929 roku

Kochani Chłopcy!

Z moją łapą już dobrze. Skaleczyłem się przy ścinaniu choinek. Czy nie sądzicie, że moje pismo też wygląda ładniej? Święty Mikołaj jest już bardzo zajenty. Ja też. Pada tu gensty śnig i czeńś naszych posłańców w nim ugrzenzła. Inni zaginęli. Dlatego nie mliście od nas wiści.

PS I LIKE LETTERS AND THINK
CRISTOFERS AR NICE.

DEAR BOYS   NOV 1929

MY PAW IS BETTER. I WAS CUTTING CHRISTMAS
TREES WEN I HURT IT. DON'T YOU THINK MY WRITING
IS MUCH BETTER TOO? FATHER X IS VERY BISY
ALREADY. SO AM I. WE HAVE HAD HEVY SNOW. AND
SUM OF OUR MESSENGERS GOT BVERRIED AND SUM
LOST: THAT IS WHI YOU HAVE NOT HERD LATELY.
LOVE TO JOHN FOR HIS BIRTHDAY. FATHER X SAYS
MI ENGLISH SPELLING IS NOT GOOD. I KANT HELP IT. WE
DONT SPEAK ENGLISH HERE, ONLY ARKTIK (WHICH YOU

RADE! TELKVME KIRYANDON NOLO.

BOYS AT 22 NORTHMOOR RD
OXFORD
ENGLAND
N. EVROPE.

DON↑ KNOW. WE AL\O MAKE OVR LE↑↑ER\ DIFFEREN↑
ᨳ I HAVE MADE MINE LIKE ARK↑IK LE↑↑ER\ FOR YOV ↑O
\EE. WE ALWAY\ RI↑E ↑ FOR T AND V FOR U.
↑HI\ I\ \VM ARK↑IK LANGWIDGE WI\H MEAN\
"GOOD BY ↑ILL I \EE YOV NEX↑ AND I HOPE I↑
WILL BEE \OON" ᨳ MÁRA ME\↑A AN NI VÉLA ↑YE
EN↑O YA RA↑O NEA

P.B.
MY REAL NAME I\ *KARHU* BV↑ I DON↑ ↑ELL
MO\↑ PEEPLE.
MI PAW

Najlepsze życzenia dla Johna z okazji urodzin. Święty
Mikołaj mówi, że mam kłopoty z ortografią. Nic na to nie
poradzem. Tu nie mówimy po angielsku, tylko po arktycznemu (to jenzyk, którego nie znacie). Piszemy też inaczej
litery — napisałem moje po arktycznemu, żebyście zo-
baczyli sami. Zawszem piszem ↑ zamiast T i V zamiast U.
Tu macie zdanie w jenzyku arktycznym. Znaczy ono „Do
następnego zobaczenia. Mam nadzieję, że wkrótce — Mára
mesta ani ni véla tye ento, ya rato nea".

N.P.

Naprawdę nazywam się Karhu, ale nie muwię tego
ludziom.

PS Lubię listy. Listy Cristofera są ładne.

Wierzchołek Świata,
Biegun Północny
Boże Narodzenie 1929 roku

Drodzy Chłopcy i Dziewczynko!

   Miło mi donieść, że znów mamy jasne święta — w tym roku zorza polarna świeci wyjątkowo ładnie. Mam Wam wiele do opowiedzenia. Słyszeliście już, że wielki Niedźwiedź Polarny

"Top of the World"
North Pole
X'mas 1929.

Dear Boys & Girl
       It is a light Christmas again, I am glad to say~
the Northern Lights have been specially good.
     There is a lot to tell you. You have heard
that the Great Polar Bear chopped his paw when he
was cutting Christmas Tree! 🌲🌲🌲 His right
one — I mean not his left of 🌲🌲 course it
was wrong to cut it — a pity too for he spent
a lot of the Summer learning to write
better so as to help me with my winter letters.
     We had a Bonfire this year (to please the
P B) to celebrate the coming in of winter
the Snow-elves let off all the
rockets together, which surprised us both. I have
tried to draw you a picture of it, but really there
were hundreds of rockets. You can't see
the elves at all against the snow background.
The Bonfire made a hole in the ice & woke
up the Great Seal, who happened to be underneath. The P B let off 20,000 silver

przy wycinaniu choinek skaleczył się w łapę, i to w prawą, nie w lewą. Nie powinien był tego robić. Wielka szkoda.

Przez całe lato uczył się ładnie pisać, by pomóc mi przy zimowej korespondencji.

W tym roku, aby uczcić nadejście zimy, rozpaliliśmy ognisko (specjalnie dla Niedźwiedzia Polarnego). Elfy śnieżne odpaliły naraz wszystkie rakiety, co zaskoczyło nas obu. Próbowałem Wam to narysować, ale rakiet były dosłownie setki. Wśród śniegu w ogóle nie widać elfów.

Ognisko wytopiło dziurę w lodzie i obudziło drzemiącą pod nim Wielką Fokę. Potem Niedźwiedź Polarny rozpalił dwadzieścia tysięcy zimnych ogni. Zużył cały mój zapas i dlatego w tym roku ich Wam nie wysyłam. Później zaś pojechał na wakacje!!! — do Norwegii Północnej, zamieszkał u drwala Olafa, a kiedy na dobre braliśmy się do pracy, wrócił z zabandażowaną łapą!

W Anglii, Norwegii, Danii, Szwecji i Niemczech jest w tym roku jeszcze więcej dzieci niż zwykle. Tymi właśnie krajami zajmuję się szczególnie (i oczywiście Stanami Zjednoczonymi

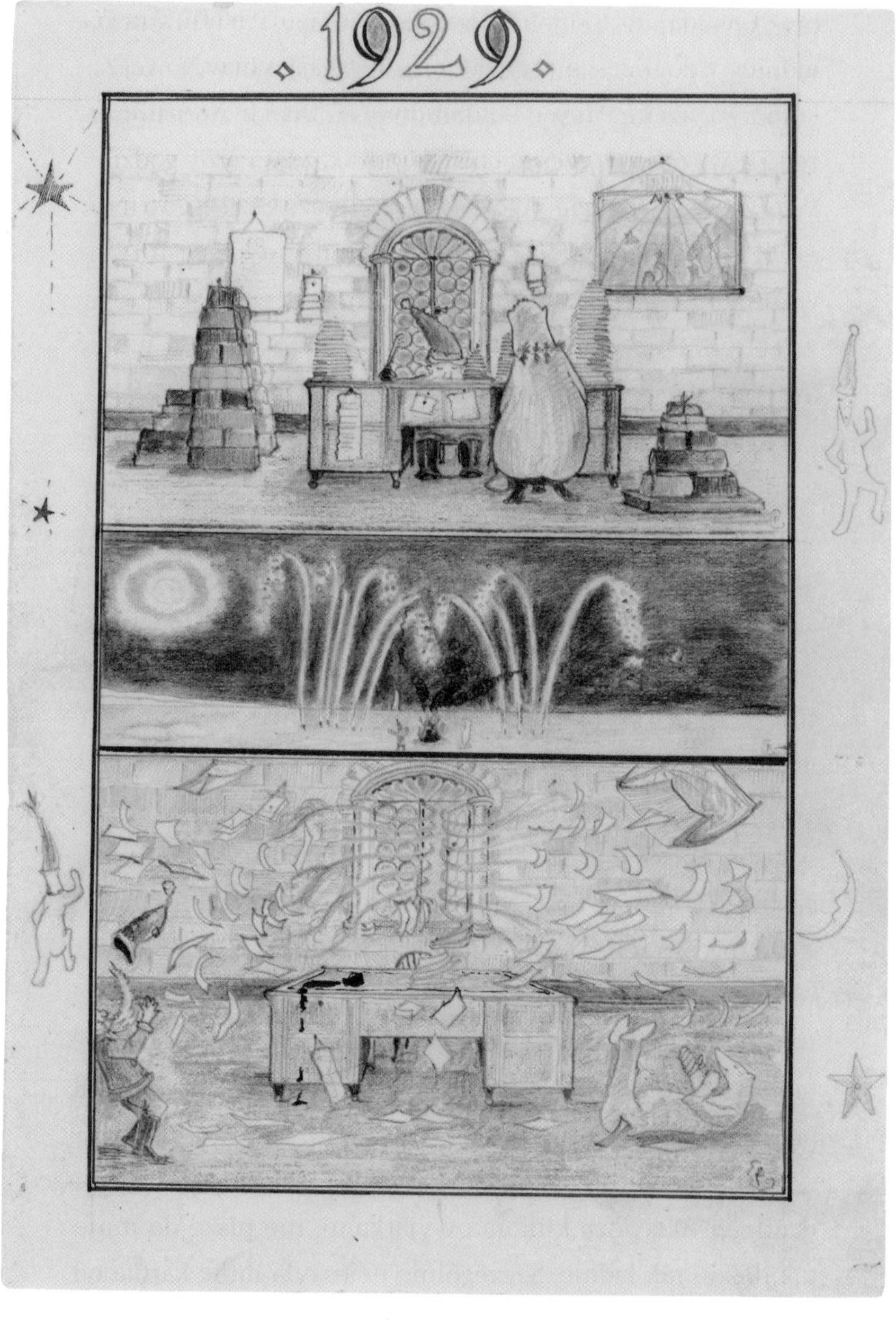
1929

oraz Kanadą). Przesyłam też co roku prezenty na Biegun Południowy do rozesłania dzieciom mieszkającym w Nowej Zelandii, Australii, Afryce Południowej i Chinach. Na szczęście zegary w różnych częściach świata wskazują różne godziny. W przeciwnym razie nigdy bym nie zdążył, choć gdy moje czary są najsilniejsze — w Boże Narodzenie — jeśli tylko wszystko wcześniej zaplanuję, wypełniam tysiąc skarpet na minutę. Nie wyobrażacie sobie nawet, jak wiele list muszę przygotować, i rzadko mi się mylą.

W tym roku jednak nieco się martwię. Zwykle pracujemy w moim gabinecie i pakowalni. Niedźwiedź Polarny odczytuje na głos imiona, a ja je zapisuję. W tym roku mieliśmy tu silne wichury, jeszcze gorsze niż u Was. Wiatr rozdzierał śnieżne chmury na miliony strzępków i wyjąc jak stado demonów, zagrzebał w śniegu mój dom aż po dach. I właśnie w najgorszej chwili Niedźwiedź Polarny oznajmił, że mu duszno, i nim zdążyłem go powstrzymać, otworzył wychodzące na północ okno. Możecie sobie wyobrazić, co się stało — dosłownie zasypały go papiery i listy. On jednak tylko się śmiał.

Do tego straciłem cały czerwony i zielony atrament oraz większość czarnego, piszę więc kredką i ołówkiem. Niedźwiedź Polarny używa resztek atramentu (oddałem mu go, bo wiem, że lubicie kolory) do wypisywania adresów na paczkach.

Spodobały mi się wszystkie listy od Was — i to bardzo, moi drodzy. Nikt, poza kilkoma wyjątkami, nie pisze do mnie tak dużo i tak ładnie. Szczególnie ucieszyła mnie kartka od

sparklers afterwards—used up all my stock, so that is why I had none to send you. Then he went for a holiday!!!—to north Norway & stayed with a wood-cutter called Olaf & came back with his paw all bandaged just at the beginning of our busy times. There seem more children than ever in England, Norway, Denmark, Sweden, & Germany, which are the countries I specially look after (& of course North America & Canada)—not to speak of setting stuff down to the South Pole for children who expect to be looked after though they have gone to live in New Zealand or Australia or South Africa or China. It is a good thing clocks don't tell the same time all over the world or I should never get round, although when my magic is strongest—at Xmas—I can do about a thousand stockings a minute, if I have it all planned out beforehand. You could hardly guess the enormous piles of lists I make out— I seldom get them mixed. But I am rather worried this year. You can guess from my pictures what happened. The first one shews you my office & stocking-room, and the P.B. reading out names while I copy them down. We had awful gales here, worse than you did, tearing clouds of snow to a million tatters, screaming like demons, burying my house almost up to the roofs.

Just at the worst the PB said it was stuffy, & opened a north window before I could stop him. Look at the result — only actually the NPB was buried in papers & lists; but that did not stop him laughing.

Also all my red & green ink was upset, as well as black — so I am writing in chalk & pencil. I have some black ink left (but I know you like colours) & the PB is using it to address parcels.

I liked all your letters — very much indeed my dears. Nobody, or very few, write so much or so nicely to me. I am specially pleased with Xtopher's card, and his letters, and with his learning to write, so I am sending him a FOUNTAIN PEN & also a special picture for himself. It shows me crossing the sea on the upper NORTH wind, while a SOUTH WEST gale — reindeer hate it — is raising big waves below.

This must be all now. I send you all my love. One more Stocking to fill this year! I hope you will like your new house & the things I bring you.

Your Old
Fr. Xmas

Christophera, jego listy i to, że nauczył się pisać. Wysyłam mu zatem wieczne pióro oraz obrazek, wyłącznie dla niego. Widać na nim, jak przelatuję nad morzem, niesiony podniebnym północnym wiatrem, podczas gdy huragan z południowego zachodu — renifery go nie znoszą — gna przed sobą w dole wysokie fale.

To już wszystko. Dołączam serdeczne pozdrowienia. Jeszcze jedna skarpeta w tym roku! Mam nadzieję, że spodoba się Wam nowy dom i rzeczy, które przywiozę.

Wasz stary Święty Mikołaj

Nov 28th 1930.

Fr Christmas has got all your
letters! What a lot, especially
from C & M! Thank you, and
also Reddy and your bears, & other
animals.

I am just beginning to get awfully busy. Let
me know more about what you specially want.
also (if you can find out) what anyone else like
P or Mummy or Auntie (I mean C Miss) Grove
wants. P.B sends love. He is just getting better.
He has had whooping Cough !!   Fr N.C.

J & M & C Tolkien

By messenger

28 listopada 1930 roku

Wasze listy dotarły do Świętego Mikołaja! Sporo tego, zwłaszcza od Christophera i Michaela! Dziękuję Wam wszystkim,
a także Reddy'emu i niedźwiadkom oraz innym zwierzętom.

Właśnie na dobre zabieram się do pracy. Napiszcie, co
chcielibyście dostać na Gwiazdkę.

Niedźwiedź Polarny przesyła pozdrowienia. Zaczyna już
zdrowieć. Chorował na koklusz!

Wasz Święty Mikołaj

Wierzchołek Świata,
Biegun Północny
Boże Narodzenie 1930 roku
Skończono w Wigilię, 24 grudnia

Kochani!

Bardzo ucieszyły mnie wszystkie wasze listy. Strasznie mi przykro, że nie mogłem na nie odpowiedzieć. Nawet w tej chwili brak mi czasu, by dokończyć obrazek i wysłać Wam porządny, długi list, tak jak zamierzałem.

Mam nadzieję, że spodobają Wam się tegoroczne skarpety. Próbowałem znaleźć to, o co prosiliście, lecz w magazynach panuje straszliwy bałagan. Widzicie, Niedźwiedź Polarny się rozchorował. Dręczył go koklusz i nie pozwoliłem, by pomagał mi przy sortowaniu i pakowaniu prezentów, co zaczyna się już w listopadzie. Nie mogłem dopuścić, by któreś z moich dzieci zaraziło się Okrutnym Polarnym Kaszlem i chrypiało w święta niczym niedźwiedź. Toteż musiałem wszystko robić sam.

Oczywiście Niedźwiedź Polarny bardzo się starał — wyczyścił i naprawił moje sanie oraz opiekował się reniferami. I wtedy właśnie zdarzył się okropny wypadek. Na początku miesiąca mieliśmy tu paskudną burzę (prawie dwa metry

Top of the World.
N.P.
Christmas 1930
December 23rd !!   Not finished until Christmas
Eve. 24th

My dears,

I have enjoyed all your letters. I am dreadfully sorry there has been no time to answer them. Even now I haven't time to finish my picture for you properly or to send you a full long letter like I meant to.

I hope you will like your stockings this year: I tried to find what you asked for, but the stores (I have been in) rather a muddle — you see the Polar Bear has been ill. He had whooping-cough first of all (!) I could not let him help with the packing & sorting which begins in November — because it would be simply awful if any of my children caught Polar Whooping-cough & barked like seals on Boxing-day. So I had to do everything myself in the preparations. Of course P.B. has done his best — he cleaned up & mended my sleigh and looked after the reindeer while I was busy. That is how the really bad accident happened. Early this month we had a most awful snowstorm (mucky drifts of snow) followed by an awful fog. The poor P.B. went out to the Reindeer-stables, & got lost and nearly buried: I didn't miss him & go to look for him for a long while. His chest hadn't got well from Wh. Cough & this made him frightfully ill & he was in bed until three days ago. Everything has got wrong & there has been no one to look after my messengers properly.

Aren't you glad the P.B. is better? We had a party of snow-boys (sons of the Snowmen which are the only sort of people that live near — not of course men made of snow, though my gardener who is the oldest of all the snowmen sometimes draws a picture of a made snow-man instead of writing his name) and polar-cubs (the P.B.'s nephews) on Saturday as soon as he felt well enough. He didn't eat much tea, but when the big cracker went off he drew away his leg, and leaped in the air and has been well ever since. ←←←

1930

Party of Snowboys & Polar-cubs to celebrate P.B.'s recovery.

P.B. recovers!

śniegu), która przyniosła ze sobą równie paskudną mgłę. Biedny Niedźwiedź Polarny poszedł do stajni reniferów, zabłądził jednak i ugrzązł w śniegu. Przez długi czas nie zauważałem jego nieobecności. Miał już osłabione kokluszem płuca, toteż teraz rozchorował się naprawdę poważnie i jeszcze trzy dni temu leżał w łóżku. Wszystko szło nie tak. Nie miałem nikogo, kto właściwie zająłby się posłańcami.

Ucieszycie się, słysząc, że Niedźwiedź jest już zdrowy? W sobotę, gdy tylko poczuł się lepiej, urządziliśmy przyjęcie dla Bałwanków (synów Śniegowych Ludzi — jedynych ludzi, którzy mieszkają w pobliżu; oczywiście nie są to prawdziwe bałwany ulepione ze śniegu, choć mój ogrodnik, najstarszy z nich wszystkich, czasami zamiast podpisu rysuje takiego właśnie bałwana) i Niedźwiadków Polarnych (siostrzeńców Niedźwiedzia Polarnego).

Niedźwiedź nie jadł zbyt wiele, kiedy jednak wystrzeliliśmy fajerwerk, odrzucił kołdrę, wyskoczył z łóżka i odtąd miewa się całkiem dobrze.

Narysowałem Wam wszystko, co się u nas działo — Niedźwiedzia Polarnego opowiadającego swoją historię po tym, gdy uprzątnęliśmy już naczynia po podwieczorku; chwilę, gdy znalazłem go w śniegu, a także Niedźwiedzia, który trzyma nogi w gorącej wodzie z gorczycą, próbując powstrzymać dreszcze. Nie udało się. Kichnął wtedy tak mocno, że zdmuchnął pięć świeczek.

Teraz jednak zupełnie doszedł do siebie — wiem o tym, bo znów psoci jak zwykle: kłóci się ze Śniegowym Człowiekiem (moim ogrodnikiem) i popycha go, przebijając głową dach

The top picture shows F.B. telling a story after all the things had been cleared away. The little pictures show me finding F.B. in the snow, & F.B. sitting with his feet in hot mustard & water to stop him shivering. It didn't — & he sneezed so terribly he blew five candles out. Still he is all right now — & know because he has been at his tricks again quarrelling with the Snowman & my gardener & pushing him through the roof of his snow house & packing lumps of ice instead of presents in naughty children's parcels. That might be a good idea, only he never told me & some of them with ice were put in warm storerooms & melted all over good children's presents!

Well my dears there is lots more & should like to say — about me green brother and me father old Grandfather Yule, and why we were both called Nicholas after the Saint (whose day is December sixth) who used to give secret presents, sometimes throwing purses of money through the window. But I must hurry away — I am late already & I am afraid you may not get this in time.

Kisses to you all
  ✳   Fr. N. Christmas.

P.S.
{ Chris. has no need to be frightened of me }

śnieżnego domku, a także pakuje bryły lodu jako prezenty dla niegrzecznych dzieci. To całkiem niezły pomysł, wolałbym jednak, żeby mnie o tym uprzedził, bo część paczek (z lodem) trafiła do ciepłych magazynów i stopiła się, mocząc prezenty grzecznych dzieci!

Cóż, moi drodzy, miałbym jeszcze wiele do opowiedzenia — o moim zielonym bracie i ojcu, starym Gwiazdkowym Dziadku, a także o tym, czemu obaj nosimy imię Mikołaj, na cześć świętego, którego dzień wypada 6 grudnia (i który rozdawał potajemnie prezenty — czasami nawet wrzucał przez okno sakiewki pełne pieniędzy). Muszę jednak kończyć — już jestem spóźniony i obawiam się, że nie dostaniecie listu na czas.

Ucałowania dla wszystkich
Święty Mikołaj

PS (Chris wcale nie musi się mnie bać).

Cliff House
Oct. 31
1931

Dear Children,
        Already I have got
some letters . I from you !
You are getting busy early. I
have not begun to think about
Christmas yet. It has been very
warm in the North this year, &
there has been very little snow so
far. We are just getting in
our Xmas fire wood.
        This is just to say my messengers
will be coming round regularly now

Dom na Skale
31 października 1931 roku

Kochane Dzieci!

Dostałem już wasze listy! Wcześnie się do tego zabraliście.
Ja nie zacząłem jeszcze nawet myśleć o świętach. W tym roku
na Północy było bardzo ciepło. Jak dotąd nie mieliśmy zbyt
dużo śniegu. Na razie zbieramy świąteczne drwa na opał.

Winter has begun — We shall be having a bonfire tomorrow — I shall like to hear from you: Sunday & Wednesday evenings are the best times to post to me.

The P.B. is quite well & fairly good — though you never know what he will do when the X'mas rush begins. Send my love to John.

Yr loving

Fr. Xmas

GLAD FR X HAS WAKT VP. HE SLEPT NEARLY ALL THIS HOT SVMMER. I WISH WE KOOD HAVE SNOW. MY COAT IS QVITE YELLOW. LOVE. P.B.

Teraz, gdy nastała zima — jutro rozpalimy powitalne ognisko — moi posłańcy na dobre zabiorą się do pracy. Czekam niecierpliwie na wieści od Was. Niedzielne i środowe wieczory to najlepsza pora, by wysłać do mnie list.

Niedźwiedź Polarny czuje się dobrze i zachowuje całkiem przyzwoicie (choć nigdy nie wiadomo, co wymyśli, gdy zacznie się przedświąteczna gorączka). Pozdrówcie ode mnie Johna.

Wasz kochający
Święty Mikołaj

Dobrze, że Święty Mikołaj się obódził. Przespał prawie całe upalne lato. Chciałbym, rzebyśmy mieli śnieg. Futro mam całkiem żółte.

Całuję Niedźwiedź Polarny

Dom na Skale,
Biegun Północny
23 grudnia 1931 roku

Kochane Dzieci!

Mam nadzieję, że spodobają Wam się drobiazgi, które posłałem. Najwyraźniej obecnie interesują Was głównie koleje, toteż wybrałem zabawki z tej dziedziny. Przesyłam też

mnóstwo całusów, może nawet więcej niż zwykle. Starego Niedźwiedzia i mnie niezmiernie ucieszyły wszystkie listy od Was i waszych zwierząt. Jeżeli myślicie, że ich nie czytamy, to się mylicie. Jeśli jednak przekonacie się, że w skarpetach brak wielu rzeczy, o które prosiliście, i że w ogóle jest ich jakby mniej, pamiętajcie, iż w te święta na całym świecie mnóstwo ludzi cierpi nędzę i głód.

Wraz z moim zielonym bratem zorganizowaliśmy zbiórkę jedzenia, ubrań i zabawek dla dzieci, którym ojcowie, matki i przyjaciele nie mogą dać niczego, czasem nawet obiadu. Wiem, że wasi bliscy o Was nie zapomną.

Kochani, mam nadzieję, że w święta będziecie szczęśliwi i nie będziecie się kłócić, tylko bawić wesoło kolejką. Zapalając świeczki na choince, pamiętajcie o starym Świętym Mikołaju.

I o mnie!

Jak już mówiłem, mamy ciepłą zimę — oczywiście Wy nie nazwalibyście jej ciepłą, ale jak na Biegun Północny nie jest zbyt zimno i prawie nie ma śniegu. Niedźwiedź Polarny — wiecie, o kim mowa — strasznie się w tym cieple rozleniwił. Wciąż tylko śpi i niechętnie zajmuje się pakowaniem. W ogóle nic nie robi, tylko je.

Głupstwa.

Stale podjada z paczek (twierdzi, że chce sprawdzić, czy wszystkie przysmaki są dobre i świeże).

Ktoś musi — a w rozynkach znalazłem kamyki.

Nie to jest jednak najgorsze. Prawdę mówiąc, nie czułbym, że nadeszły święta, gdyby nie zrobił czegoś niemądrego. Nigdy

My latest portrait — Father Christmas packing 1931. Love to you all. Your loving F.C. N.C.

nie zgadniecie, co spsocił tym razem! Posłałem go do jednej z moich piwnic — nazywamy ją Jamą Zimnych Ogni —
w której przechowuję tysiące pudełek fajerwerków i zimnych
ogni (szkoda, że nie możecie ich zobaczyć: dziesiątki rzędów

Cliff House
North Pole.
December 23rd 1931.

My dear Children

I hope you will like the little things I have sent you. You seem to be most interested in Railways just now, so I am sending you mostly things of that sort. I send as much love as ever, in fact more. We have both, the old PB and I, enjoyed having so many nice letters from you and your pets. If you think we have not read them you are wrong; but if you find that not many of the things you asked for have come, & not perhaps quite so many as sometimes, remember that this Christmas all over the world there are a terrible number of poor & starving people. I & also my Green Brother have had to do some collecting of food & clothes, and toys too, for the children whose fathers & mothers and friends cannot give them anything sometimes, not even dinner. I know yours won't forget you. So my dears, I hope you will be happy this Xmas & not quarrel, & will have some good games with your Railway all together. Don't forget old Father Christmas, when you light your tree.*

It has gone on being warm up here as I told you — not what you would call warm, but warm for the NP, with very little snow. The NPB, if you know who I mean has been lazy & sleepy as a result, & very slow over packing, & any job except eating — he has enjoyed sampling and tasting the food parcels this year (to see if they were fresh & good, he said). But that is not the worst — I should hardly feel it was Christmas if he didn't do something ridiculous. You will never guess what he did this time! I sent him down into one of my cellars — the Cracker-hole we call it where I keep thousands of boxes of crackers (you would like to see them, rows upon rows, all with their lids off to show the kinds & colours) — well, I wanted 20 boxes, & was busy sorting soldiers & farm things,

NOR ME. N. PB!

** SILLY

‡ SOMEBODY HAZ TO — AND I FOUND STONES IN SOME OF THE KURRANS.

83

So I sent him; and he was so lazy he took two Snow-boys (who aren't allowed down there) to help him. They started pulling crackers out of boxes, and he tried to box them (the boys' ears I mean) and they dodged and he fell over & let his candle fall right poof! into my fire-work crackers & boxes of sparklers. I could hear the noise, & smell the smell, in the hall, & when I rushed down I saw nothing but smoke and fizzing stars, & old P.B was rolling over on the floor with sparks sizzling in his coat: he has quite a bare patch burnt on his back ✱. The Snow-boys roared with laughter & then ran away. They said it was a splendid sight, but they won't come to my party on St Stephen's Day; they have had more than their share already.

Two of the P.B's nephews have been staying there for some time — Paksu and Valkotukka ("fat" and "white-hair" they say it means). They are fat-tummied polar-cubs, & are very funny boxing one another & rolling about. But another time, I shall have them on Boxing-day & not just at packing-time. I fell over them fourteen times a day last week. And Valkotukka swallowed a ball of red string thinking it was cake, and he got it all wound up inside and had a tangled cough — he couldn't sleep at night, but I thought it rather served him right for putting holly in my bed. It was the same cub that pawed all the black ink yesterday into the fire — to make night: it did & a very smelly smoky one. We lost Paksu all last Wednesday & found him on Thursday morning asleep in a cupboard in the kitchen; he had eaten two whole pudd-ings raw. They seem to be growing up just like their uncle.

Good-bye now. I shall soon be off on my travels once more. You need not believe any pictures you see of me in aeroplanes or motors. I cannot drive me, & I don't want to; and they are too slow anyway (not to mention smell); they cannot compare with my own reindeer which I train myself. They are all very well this year, & I expect my posts will be in very good time. I have got some new young ones this Christmas from Lapland (a great place for wizards; but these are WHIZZERS) One day I will send you a picture of my deer-stables and harness-houses. I am expecting that John, although he is now over 14, will hang up his stocking this last time; but I don't forget people even when they are past stocking-age, not until they forget me. So I send LOVE to you ALL, & especially little PM, who is beginning her stocking-days & I hope they will be happy.

Your loving Father Christmas

pudełek z podniesionymi pokrywkami, żeby było widać, co jest w środku).

Potrzebowałem dwudziestu pudełek, a że sam byłem zajęty sortowaniem żołnierzyków i narzędzi ogrodniczych, posłałem Niedźwiedzia. On zaś z lenistwa zabrał ze sobą dwóch Bałwanków (którym nie pozwalam schodzić do piwnicy). Malcy zaczęli wyciągać fajerwerki z pudełek. Próbował ich powstrzymać, spudłował jednak (to znaczy nie trafił), oni uskoczyli, a Niedźwiedź upadł, upuszczając świecę — PUFF! — wprost do pudeł z fajerwerkami i zimnymi ogniami.

Byłem właśnie w holu, gdy usłyszałem hałas i poczułem woń spalenizny. Kiedy zbiegłem na dół, z początku ujrzałem tylko dym i różnobarwne gwiazdy. Stary Niedźwiedź Polarny turlał się po podłodze. Z jego futra strzelały iskry. Wypalił sobie łysinę na grzbiecie.

Wszystko wyglądało dobrze!

To Święty Mikołaj wylał mi na grzbiet sos podczas obiadu!

Oba Bałwanki zaśmiewały się wniebogłosy. Potem uciekły. Mówią, że był to wspaniały widok — ale nie chcą już przyjść na przyjęcie w drugi dzień świąt. Dość się nabawiły.

Jakiś czas temu dwóch siostrzeńców Niedźwiedzia Polarnego przybyło do nas z wizytą. To Paksu i Valkotukka (mówią, że znaczy to Gruby i Białowłosy), tłuściutkie Polarne Niedźwiadki, które prześmiesznie biją się i tarzają po ziemi. Następnym razem jednak zaproszę je dopiero po świętach, nie w okresie pakowania. W zeszłym tygodniu co dzień potykałem się o nie co najmniej czternaście razy.

Valkotukka połknął kłębek czerwonego sznurka, myśląc, że to ciastko. Wnętrzności zupełnie mu się poplątały i kaszlał węźlasto — całą noc nie mógł spać. Nie szkoda mi go jednak, bo wcześniej wsadził mi do łóżka gałązki ostrokrzewu.

On też wylał do ognia cały czarny atrament — by przywołać noc, która rzeczywiście nastała, i to bardzo cuchnąca i zadymiona. Przez całą środę nie mogliśmy znaleźć Paksu. Natknęliśmy się na niego dopiero w czwartek rano. Spał zwinięty w kłębek w kuchennym kredensie. Wcześniej zjadł dwa całe puddingi. Surowe! Obaj robią się coraz bardziej podobni do swego wuja.

To niesprawiedliwe!

Muszę kończyć. Wkrótce znów wyruszam w drogę. Nie wierzcie w obrazki przedstawiające mnie w samolotach czy na motorach. Nie potrafię nimi kierować. Wcale zresztą nie chcę. I tak są za wolne (nie mówiąc już o zapachu). Nie mogą się równać z moimi reniferami, które sam tresuję. W tym roku mam wspaniały zaprzęg i spodziewam się, że moje listy dotrą na czas. Sprowadziłem kilka nowych reniferów wprost z Laponii (to kraj błyskawic i rzeczywiście, poruszają się BŁYSKAWICZNIE).

Żałosne!

Któregoś dnia przyślę Wam obrazek przedstawiający moje stajnie i magazyny z uprzężą. Spodziewam się, że John, choć skończył już czternaście lat, wywiesi jeszcze ostatni raz skarpetę. Ja sam nie zapominam o ludziach, nawet jeśli przekroczą już wiek skarpetowy — nie, póki o mnie pamiętają. Toteż

1931 -32

N.P.B

KARHU

LOVE FROM KARHU, PAKSU, AND VALKOTUKKA.

V

This is all drawn by N.P.B. Don't you think he is getting better. But the green ink is mine ——— & he didn't ask for it.

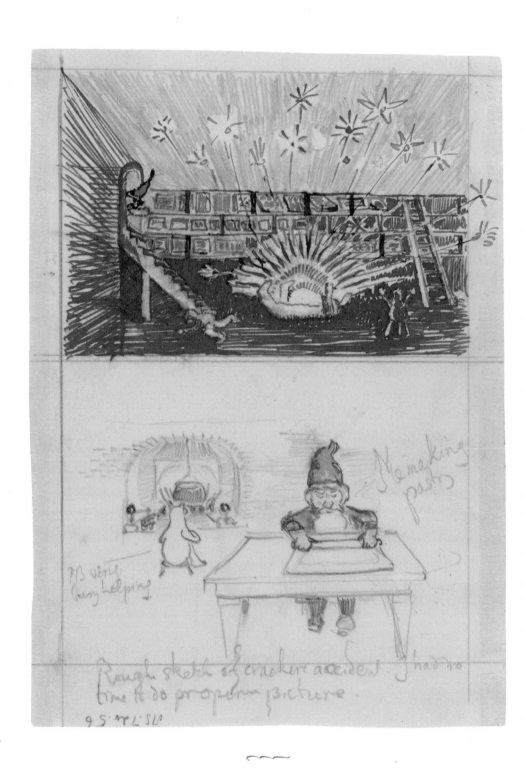

Ma making pastry

P.B. very busy helping.

Rough sketch of cracker accident. I had no time to do proper picture.

przesyłam UCAŁOWANIA Wam WSZYSTKIM, zwłaszcza małej PM, która weszła właśnie w wiek skarpetowy. Mam nadzieję, że będziecie szczęśliwi.

Wasz kochający Święty Mikołaj

PS Ten obrazek narysował Niedźwiedź Polarny. Prawda, że idzie mu coraz lepiej? Ale zielony tusz należy do mnie, a on nawet o niego nie poprosił.

Dom na Skale,
Biegun Północny
30 listopada 1932 roku

Kochane Dzieci!

Dziękuję za przemiłe listy. Nie zapomniałem o Was. W tym roku mam ogromne opóźnienie i równie wielkie zmartwienie. Stało się coś dziwnego. Niedźwiedź Polarny zniknął. Nie mam pojęcia, gdzie się podział. Nie widziałem go od miesiąca i zaczynam się denerwować. Nie wiem, co bez niego pocznę, bo jutro zaczyna się grudzień, miesiąc świąteczny.

Cliff House
North Pole.

November 30th
1932.

My dear Children

Thank you for your nice letters. I have
not forgotten you. I am very late this year, & very
worried—a very funny thing has happened. The
P.B. has disappeared, & I don't know where he
is. I have not seen him since the beginning of this
month, & I am getting anxious. Tomorrow December, the Christmas month, begins, & I don't
know what I shall do without him.

I am glad you are all well, & your many
pets. The snow babies holidays begin tomorrow.
I wish P.B. was here to look after them. Love
to M.C. & P. Please send J. my love when you
write to him.
Father Christmas.

Cieszę się, że Wy i wasze liczne zwierzęta macie się dobrze. Jutro zaczynają się ferie Bałwaniątek. Chciałbym, żeby był tu Niedźwiedź Polarny i zajął się nimi. Ucałowania dla Michaela, Christophera i Priscilli. Proszę, pozdrówcie ode mnie Johna, gdy będziecie do niego pisać.

Święty Mikołaj

Dom na Skale,
obok Bieguna Północnego
23 grudnia 1932 roku

Kochane Dzieci!

Mam Wam tak wiele do opowiedzenia. Przede wszystkim jednak wesołych świąt! Przeżyliśmy mnóstwo przygód, które z pewnością Was zaciekawią. Wszystko zaczęło się od dziwnych odgłosów pod ziemią. Pierwszy raz usłyszeliśmy je w lecie, a stopniowo stawały się coraz głośniejsze. Bałem się nawet, że zwiastują trzęsienie ziemi. Niedźwiedź Polarny twierdzi, że od początku podejrzewał, co się dzieje. Żałuję, że mnie nie uprzedził. Zresztą to nie może być prawda, bo kiedy wszystko się zaczęło, smacznie spał i obudził się dopiero w okolicach urodzin Michaela.

Pewnego dnia, pod koniec listopada, wybrał się na spacer i nie wrócił! Jakieś dwa tygodnie temu zacząłem naprawdę się martwić, bo staruszek w sumie bardzo mi pomaga, mimo swych niefortunnych przygód. Jest też zabawnym kompanem.

W piątkowy wieczór (9 grudnia) ktoś zaczął dobijać się do drzwi frontowych, węsząc głośno. Z początku pomyślałem, że to Niedźwiedź Polarny, który zgubił klucz (zdarza mu się

To John Michael & Christopher & Priscilla Tolkien
20 Northmoor Road
Oxford
ENGLAND

to bardzo często). Gdy jednak otworzyłem drzwi, ujrzałem innego, bardzo starego niedźwiedzia, grubego i niezwykłego. Był to najstarszy z nielicznych żyjących jeszcze niedźwiedzi jaskiniowych, stary pan Niedźwiedź Jaskiniowy we własnej osobie (nie widziałem go od wieków).

— Chcesz, żeby twój Niedźwiedź Polarny wrócił? — spytał. — Jeśli tak, lepiej chodź i zabierz go sobie!

Okazało się, że Niedźwiedź Polarny zabłądził w jaskiniach (należących do pana Niedźwiedzia Jaskiniowego; tak

Cliff House
near the North Pole
December 23rd.
1932.

My dear children,

There is a lot to tell you. First of all a Merry Christmas!
But there have been lots of adventures you will want to hear about. It all
began with the funny noises underground which started in the summer &
got worse & worse. I was afraid an earthquake might happen. The N.P.B
says he suspected what was wrong from the beginning. I only wish he had
said something to me; & anyway it can't be quite true, as he was fast asleep when
it began, & did not wake up till about Michael's birthday. However,
he went off for a walk one day, at the end of November I think, & never
came back! About a fortnight ago I began to be really worried, for
after all the dear old thing is really a lot of help, inspite of accidents, & very
amusing. One Friday evening (Dec. 9th) there was a bumping at the
front door & a mewfling. I thought he had come back, & lost his key (as
often before); but when I opened the door there was another very old bear
there, a very fat & funny-shaped one. Actually it was the eldest of the
few remaining cave-bears, old Mr Cave-Brown-Cave himself (I had not
seen him for centuries).

"Do you want your North Polar Bear?" he said. "If you
do you had better come & get him!"

It turned out he was lost in the caves (belonging to Mr C.B.C
or so he says) not far from the ruins of my old house. He says he found
a hole in the side of a hill & went inside because it was snowing. He
slipped down a long slope, & lots of rock fell after him, & he found he
could not climb up or get out again. But almost at once he smelt goblin!
& became interested & started to explore. Not very wise, for of course
goblins can't hurt him but their caves are very dangerous. Naturally he
soon got quite lost, & the goblins shut off all their lights, & made queer
noises & false echoes.

Goblins are to us very much what rats are to you, only worse
because they are very clever, & only better because there are, in these parts,
very few. We thought there were none left. Long ago we had great
trouble with them, that was about 1453 I believe, but we got the
help of the Gnomes, who are their greatest enemies, & cleared them out.
Anyway there was poor old P.B. lost in the dark all among them, & all alone
until he met Mr. C.B.C (who lives there). C.B.C can see pretty well in
the dark, & he offered to take P.B. to his private back-door. So they set
off together; but the goblins were very excited & angry (P.B had boxed
one or two flat that came and poked him in the dark), & had said

przynajmniej on twierdzi) nieopodal ruin mojego starego domu. Mówi, że znalazł dziurę w zboczu wzgórza i wszedł do środka, bo zaczął padać śnieg. Poślizgnął się i zjechał głęboko w dół. Za nim posypały się kamienie i odkrył, że nie zdoła wdrapać się z powrotem.

Niemal natychmiast poczuł w powietrzu woń goblinów. To go zaciekawiło i ruszył zbadać sprawę. Niezbyt rozsądny pomysł, bo choć gobliny, rzecz jasna, nie mogą zrobić mu krzywdy, to w jaskiniach czyha wiele niebezpieczeństw.

Oczywiście wkrótce kompletnie zabłądził. Gobliny zgasiły wszystkie światła i zaczęły hałasować w ciemności, próbując go zmylić.

Gobliny to dla nas szkodniki, tak jak dla Was szczury, tyle że są jeszcze gorsze z powodu swojej inteligencji. Na szczęście w naszej okolicy żyje ich niewiele. Sądziliśmy nawet, że pozbyliśmy się ich na dobre. Dawno temu mieliśmy z nimi poważne kłopoty — działo się to gdzieś w roku 1453 — ale dzięki pomocy gnomów, ich największych wrogów, wytępiliśmy tę plagę.

Biedny, stary Niedźwiedź Polarny błąkał się wśród nich w ciemności zupełnie sam, póki nie spotkał pana Niedźwiedzia Jaskiniowego (który tam mieszka). Niedźwiedź Jaskiniowy dobrze widzi w ciemności. Zaproponował, że zaprowadzi Niedźwiedzia Polarnego do swego prywatnego wyjścia.

Razem wyruszyli w drogę, lecz gobliny, podekscytowane i wściekłe (Niedźwiedź Polarny zbił na kwaśne jabłko kilka z nich, kiedy próbowały dźgać go w ciemności; nazwał je też niezwykle obraźliwymi słowami), odciągnęły go, naśladując

Some very nasty things to them all); and they enticed away by imitating CBC's voice, which of course they know very well. So PB got into a frightful dark part, all full of different passages, & he lost CBC & CBC lost him.

'Light is what we need' said CBC to me. So I got some of my special sparkling torches—which I sometimes use in my deepest cellars—& we set off that night. The caves are wonderful. I knew they were there, but not how many or how big they were. Of course the goblins went off into the deepest holes & corners, & we soon found PB. He was getting quite long & thin with hunger, as he had been in the caves about a fortnight. He said 'I should soon have been able to squeeze through a goblin-crack'.

PB himself was astonished when I brought light; for the most remarkable thing is that the walls of these caves are all covered with pictures, cut into the rock or painted on in red and brown and black. Some of them are very good (mostly of animals), & some are queer, & some bad; & there are many strange marks, signs & scribbles, some of which have a nasty look & I am sure have something to do with black magic. CBC says these caves belong to him, & have belonged to him or his family since the days of his great (great-great-great-great-great-great-great-great) (multiplied by ten) grandfather; and the bears first had the idea of decorating the walls, & used to scratch pictures on them at soft parts—it was useful for sharpening the claws. Then MEN came along—imagine it! CBC says there were lots about at one time, long ago when the North Pole was somewhere else. (That was long before my time & I have never heard Old Grandfather Yule mention it, even. So I don't know if he is talking nonsense or not). Many of the pictures were done by these cave-men—the best ones, especially the big ones (almost life-size) of animals, some of which have since disappeared: there are dragons and quite a lot of mammoths. Men also put some of the black marks & pictures there; but the goblins have scribbled all over the place. They can't draw well & any way they like nasty queer shapes best. NPB got quite excited when he saw all these things.

He said: 'These cave-people could draw better than you, daddy Noel; and wouldn't your young friends just like to see some really good pictures (especially some properly drawn bears) for a change!'

Rather rude, I thought; if only a joke; as I take a lot of trouble over my Christmas pictures: some of them take quite a minute to do; & though I only send them to special friends, I have a good many in different places. So just to show him (& to please you) I have copied a whole page from the wall of the chief central cave, & I send you a copy. It is not, perhaps, quite as well drawn as the originals (which are very very much larger) — except the goblin parts, which are easy. They are the only parts the PB can do at all. He says he likes them best, but that is only because he can copy them.

PB gnawed my arm I think 6.

głos Niedźwiedzia Jaskiniowego, który rzecz jasna doskonale znają. Niedźwiedź Polarny skręcił w przerażające, mroczne korytarze, pełne tuneli i zakrętów. Stracił z oczu Niedźwiedzia Jaskiniowego, a Niedźwiedź Jaskiniowy zgubił jego.

— Światło. Tego nam trzeba — powiedział do mnie Niedźwiedź Jaskiniowy.

Wyciągnąłem więc kilka specjalnych iskierkowych pochodni — czasami używam ich w najgłębszych piwnicach — i jeszcze tej samej nocy wyruszyliśmy na poszukiwania.

Jaskinie okazały się cudowne. Wiedziałem, że tam są, ale nie miałem pojęcia, ile ich jest i jakie są wielkie. Oczywiście gobliny ukryły się w najgłębszych zakątkach i zakamarkach. Wkrótce znaleźliśmy Niedźwiedzia Polarnego. Porządnie już wychudł. Błąkał się tam prawie dwa tygodnie.

— Wkrótce mógłbym przecisnąć się przez goblinią szparę — rzekł.

Gdy przyniosłem światło, Niedźwiedź Polarny także się zdumiał, bo w jaskiniach najniezwyklejsze jest to, że ich ściany pokrywają rysunki, wyryte w skale bądź namalowane czerwoną, brązową i czarną farbą.

Niektóre są naprawdę świetne (głównie te przedstawiające zwierzęta), inne niesamowite bądź niedobre. Można znaleźć wiele osobliwych znaków, symboli i liter. Część z nich wygląda paskudnie i jestem pewien, że ma coś wspólnego z czarną magią.

Niedźwiedź Jaskiniowy twierdzi, że jaskinie te należą do niego, tak jak wcześniej do jego rodziny, od czasów prapraprapraprapraprapra (razy dziesięć) dziadka. Niedźwiedzie pierwsze wpadły na pomysł ozdabiania ścian i zaczęły wydrapywać rysunki w miękkich kamieniach, przy okazji ostrząc pazury.

A potem, wyobraźcie sobie, zjawili się Ludzie. Niedźwiedź Jaskiniowy twierdzi, że w dawnych czasach, gdy Biegun Północny leżał zupełnie gdzie indziej, było ich tu całe mnóstwo (działo się to na długo przed moim urodzeniem; nigdy też nie słyszałem, by Gwiazdkowy Dziadek o tym wspominał, więc nie wiem, czy to prawda, czy zwykłe bzdury).

To właśnie owi jaskiniowi ludzie namalowali większość obrazków — tych najlepszych i największych (niemal rozmiarów naturalnych), przedstawiających zwierzęta, z których część zniknęła już z powierzchni ziemi, jak smoki i mamuty. Ludzie zostawili też po sobie czarne symbole i obrazki. Lecz gobliny bazgrzą wszędzie, gdzie tylko mogą. Nie potrafią ładnie rysować, a zresztą najbardziej podobają im się dziwne znaczki i postaci.

Wszystko to zachwyciło Niedźwiedzia Polarnego.

— Ci jaskiniowi ludzie umieli rysować lepiej niż ty, Mikołajku. Twoi młodzi przyjaciele z pewnością woleliby dla odmiany zobaczyć kilka naprawdę dobrych rysunków (zwłaszcza porządnie narysowanych niedźwiedzi!).

Pomyślałem, że to dość niegrzeczne słowa, nawet jak na żart. Wkładam wiele pracy w moje świąteczne rysunki i choć wysyłam je tylko wyjątkowym przyjaciołom, sporo rozeszło się po świecie. Aby więc zagrać mu na nosie (i zrobić Wam przyjemność), przerysowałem całą stronę obrazków ze ściany głównej jaskini i dołączam kopię do listu.

At the bottom of the page you will see a whole row of goblin pictures — they must be very old, because the goblin fighters are sitting on drasils : a very queer sort of dwarf 'dachshund' horse creature, they used to use, but they have died out long ago. I believe the Red Gnomes finished them off, somewhere about Edward the Fourth's time. You will see some more on the pillar in my picture of the Caves.

Doesn't the hairy rhinoceros look wicked ; there is also a nasty look in the mammoths' eyes. You will also see an ox, a stag, a boar, & cave-bear (portrait of Mr. C.B.C.'s seventy-first ancestor, he says) and some other kind of polarish but not quite polar bear. NPB would like to believe it is a portrait of one of his ancestors! Just under the bears you can see what is the best a goblin can do at drawing reindeer. !!!

You have been so good in writing to me (& such beautiful letters too), that I have tried to draw you some specially nice pictures this year. At the top of my 'Christmas card' is a picture, imaginary but more or less as it really is, of me arriving over Oxford. Your house is just about where the three little black points stick up out of the shadows at the right. I am coming from the north you see — & note NOT with 12 pair of deer, as you will see in some books. I usually use 7 pair (14 is such a nice number), & at Christmas, especially if I am hurried, I add my 2 special white ones in front.

Next comes a picture of me and CBC & NPB exploring the Caves — I will tell you more about that in a minute. The last picture is also imaginary, that is it hasn't happened yet. It soon will. On St. Stephen's Day, when all the rush is over, I am going to have a rowdy party : the CBC's grandchildren (they are exactly like live teddy = bears), snow-babies, some children of the Red Gnomes, & of course polar cubs, including Paksu & Valkotukka, will be there. Don't you like my new green trousers? They were a present from my green brother, but I only wear them at home. Goblins any way dislike green, so I found them useful. You see, when I rescued PB, we hadn't finished the adventures. At the beginning of this week we went into the cellars to get up the stuff for England.

I said to PB 'Somebody has been disarranging things here !'
'Paksu & V. I expect', he said. But it wasn't.

Next day things were much worse, especially among the railway-things, lots of which seemed to be missing. I ought to have guessed, & PB anyway ought to have mentioned his guess to me. Last Saturday we went down & found nearly every thing had disappeared out of the main cellar! Imagine my state of mind! Nothing hardly to send to anybody & too little time to get or make enough new stuff.

NPB said 'I smell goblin strong' Of course : it was obvious : — they love mechanical toys (though they quickly smash them, & want more & more & more); & practically all the Hornby things had gone! Eventually we found a large hole (but not big enough for us) leading to a tunnel behind

Nie jest może narysowana tak dobrze jak oryginały (które są też znacznie, znacznie większe) — poza dziełami goblinów, te były łatwe. To jedyne rysunki, które potrafi odtworzyć Niedźwiedź Polarny. Twierdzi, że podobają mu się najbardziej — ale tylko dlatego, że umie je skopiować.

Rysunki goblinów muszą być bardzo stare, bo przedstawieni na nich goblinowi wojownicy dosiadają drasili, niezwykłej odmiany karłowatych „końskich jamników". Korzystali z nich kiedyś, lecz zwierzęta te wymarły bardzo dawno temu. Zdaje się, że pomogły im w tym Czerwone Gnomy, gdzieś w czasach Edwarda IV. Więcej rysunków znajdziecie na kolumnie na moim obrazku przedstawiającym jaskinie. Włochaty nosorożec wygląda bardzo groźnie. Oczy mamuta spoglądają złośliwie. Widać tam też wołu, jelenia, niedźwiedzia i niedźwiedzia jaskiniowego (ponoć to przodek pana Niedźwiedzia Jaskiniowego sprzed siedemdziesięciu jeden pokoleń). Jest tam też inny niedźwiedź, całkiem przypominający polarnego. Niedźwiedź Polarny chciałby wierzyć, że to podobizna jednego z jego przodków! Tuż pod niedźwiedziami widać bazgroły goblinów. W ten sposób rysują renifera!!!

Wszyscy tak grzecznie do mnie pisaliście (co za piękne listy!), że postarałem się w tym roku namalować Wam szczególnie ładne obrazki. Na górze mojej „kartki świątecznej" widnieje obrazek, wymyślony, lecz mniej więcej odpowiadający prawdzie, przedstawiający mój przelot nad Oksfordem. Wasz dom jest w miejscu, gdzie widać trzy małe czarne kreseczki wystające z cieni po prawej. Przybywam z Północy i zwróćcie uwagę, mój zaprzęg NIE liczy sobie dwunastu par reniferów, jak często twierdzą w książkach. Zazwyczaj korzystam z siedmiu par (czternaście to taka ładna liczba). W święta, zwłaszcza gdy mi się spieszy, dodaję z przodu parkę dorodnych siwków.

Następnie macie obrazek, na którym wraz Niedźwiedziem Jaskiniowym i Niedźwiedziem Polarnym zwiedzamy jaskinie — opowiem o tym za chwilkę. Ostatniego obrazka jeszcze nie narysowałem. Wkrótce to zrobię. W drugi dzień świąt, po skończonej pracy, zamierzam urządzić huczne przyjęcie. Zaproszę na nie wnuki Niedźwiedzia Jaskiniowego (wyglądają zupełnie jak pluszowe misie), Bałwanki, dzieci Czerwonych Gnomów i oczywiście Niedźwiadki Polarne z Paksu i Valkotukką na czele.

Mam na sobie nowe zielone spodnie, prezent od mego zielonego brata. Noszę je tylko w domu. Gobliny nie cierpią zieleni, toteż spodnie bardzo się przydają.

Bo widzicie, odnalezienie Niedźwiedzia Polarnego nie zakończyło naszej przygody. Na początku zeszłego tygodnia udaliśmy się do piwnic po prezenty do wysłania do Anglii.

— Ktoś tu grzebał — powiedziałem do Niedźwiedzia Polarnego.

— Pewnie Paksu i Valkotukka — odparł.

Nie miał racji. Następnego dnia na dole panował jeszcze większy bałagan, zwłaszcza wśród kolejek; wielu z nich brakowało. Powinienem był zgadnąć, co się święci, a Niedźwiedź Polarny powinien był wspomnieć mi o swoich domysłach.

W zeszłą sobotę stwierdziliśmy ze zgrozą, że z głównej piwnicy zniknęło niemal wszystko! Wyobraźcie sobie, co czułem:

some packing-cases in the West-Cellar. As you will expect we rushed off to find CBC, & we went back to the caves. We soon understood the queer noises. It was plain the goblins long ago had burrowed a tunnel from the caves to my old home (which was not so far from the end of their hills), & had stolen a good many things. We found some things more than a hundred years old, even a few parcels still addressed to your great-grand-people! But they had been very clever, & not too greedy, & I had not found out. Ever since I moved they must have been busy burrowing all the way to my Cliff, boring banging & blasting (as quietly as they could). At last they had reached my new cellars, & the sight of the Hornby things was too much for them & they took all they could. I daresay they were also still angry with the PB. Also they thought we couldn't get at them. But I sent my patent green luminous smoke down the tunnel, & PB blew & blew it with our enormous kitchen bellows. They simply shrieked & rushed out the other (cave) end. But there were Red Gnomes there. I had specially sent for them — a few of the real old families are still in Norway. They captured hundreds of goblins, & chased many more out into the snow (which they hate). We made them show us where they had hidden things, or bring them all back again & by Monday we had got practically everything back. The Gnomes are still dealing with the goblins, & promise there won't be one left by New Year — but I am not so sure: they will crop up again in a century or so I expect.

We have had a rush; but dear old CBC & his sons & the Gnome-ladies helped: so that we are now very well forward & all packed. I hope there is not the faintest smell of goblin about any of your things. They have all been well aired. There are still a few railway things missing, but I hope you will have what you want. I am not able to carry quite as much toy-cargo as usual this year, as I am taking a good deal of food and clothes (useful stuff): there are far too many people in your land, & others, who are hungry & cold this winter. I am glad that with you the weather is warmish. It is not warm here. We have had tremendous icy winds & terrific snow-storms & my old house is quite buried. But I am feeling very well, better than ever, & though my hand wobbles with a pen, partly because I don't like writing as much as drawing (which I learned first), I don't think it is so wobbly this year.

The PB. got your father's scribble to-day, & was very puzzled by it. He thought the written side was meant for him. I told him it looked like old lecture-notes, & he laughed. He says he thinks Oxford is quite a mad place if people lecture such stuff; but I don't suppose anybody listens to it. The other side pleased him better. He said: "At any rate those boys' father tried to draw bears — though they aren't good. Of course it is all nonsense, but I will answer it".

So he made up an alphabet from the marks in the caves. He says it is much nicer than the ordinary letters, or than Runes, or Polar letters, and suits his paw better. He writes them with the tail of his penholder! He has sent a short letter to you in this alphabet ——※—— to wish you a

PTO.

nędzne resztki do wysłania i zbyt mało czasu, by przygotować nowe prezenty.

— Czuję tu smród goblinów — oznajmił Niedźwiedź Polarny.

To oczywiste — gobliny uwielbiają zabawki mechaniczne (choć bardzo szybko je niszczą i domagają się więcej, więcej, więcej), a z piwnic zniknęły praktycznie wszystkie kolejki. W końcu znaleźliśmy sporą dziurę (dla nas jednak za małą), wiodącą do tunelu ukrytego za skrzyniami w piwnicy zachodniej.

Jak pewnie odgadliście, pobiegliśmy natychmiast do Niedźwiedzia Jaskiniowego i razem ruszyliśmy do jaskiń. Wkrótce zrozumieliśmy, skąd wzięły się dziwne hałasy. Najwyraźniej gobliny już dawno temu wykopały tunel z jaskiń do mego starego domu (który stał niedaleko ich wzgórz) i ukradły sporo prezentów. Znaleźliśmy wśród nich rzeczy liczące sobie ponad sto lat, a nawet kilka paczek zaadresowanych do waszych prapradziadków! Gobliny działały bardzo przebiegle. Nie były zbyt zachłanne, toteż niczego wcześniej nie odkryłem.

Od czasu przeprowadzki musiały uwijać się jak w ukropie, przebijając tunel na Skałę, wierciąc, kując i wysadzając kamienie (najciszej jak umiały). W końcu dotarły do nowych piwnic, lecz widok kolejek przeważył szalę. Zabrały wszystko.

Podejrzewam też, że wciąż były wściekłe na Niedźwiedzia Polarnego i sądziły, że do nich nie dotrzemy. Ja jednak posłałem w głąb tunelu mój opatentowany, zielony, świecący dym, a Niedźwiedź Polarny dmuchał na niego wielkim kuchennym miechem. Gobliny wrzasnęły tylko i uciekły drugim wyjściem z jaskini.

Tam jednak czekały już Czerwone Gnomy. Sam po nie posłałem — w Norwegii wciąż żyje kilka starych rodów. Schwytały setki goblinów, setki innych wygnały na śnieg (gobliny tego nie znoszą). Zmusiliśmy je do pokazania, gdzie ukryły skradzione rzeczy, musiały przynieść je z powrotem. Do poniedziałku odzyskaliśmy praktycznie wszystko. Gnomy wciąż zajmują się goblinami i obiecują, że do Nowego Roku już ich tu nie będzie — ja jednak nie jestem wcale taki pewien. Przypuszczam, że za sto lat znów się u nas zjawią.

Musieliśmy się spieszyć, lecz pomógł nam kochany, stary Niedźwiedź Jaskiniowy i jego synowie, a także panie Gnomowe, toteż zdążyliśmy zapakować wszystko. Mam nadzieję, że prezenty nie będą śmierdzieć goblinami. Wszystkie starannie przewietrzyliśmy.

Wciąż jeszcze brak kilku elementów kolejki, ale myślę, że dostaniecie to, czego pragnęliście. W tym roku nie mogę zabrać tylu zabawek co zwykle, wiozę bowiem sporo jedzenia i ubrań (prezentów pożytecznych). W waszym i innych krajach jest wielu ludzi, którzy tej zimy marzną i są głodni.

Cieszę się, że u Was nie ma mrozu. Tu wcale nie jest ciepło. Ostatnio mieliśmy lodowate wichury i straszliwe burze śnieżne. Mój stary dom zniknął pod śniegiem. Ja jednak czuję się znakomicie, lepiej niż kiedykolwiek. I choć trzymająca pióro ręka wciąż mi się trzęsie, dlatego wolę rysować, niż pisać (rysować nauczyłem się najpierw), mam wrażenie, że pismo nie jest tak roztrzęsione jak zwykle.

Niedźwiedź Polarny dostał dziś zapiski waszego ojca. Okropnie go zdumiały. Powiedziałem, że wyglądają jak stare notatki z wykładów, a on wybuchnął śmiechem. Twierdzi, że Oksford to szalone miejsce, skoro ludzie wygłaszają tam podobne wykłady, „choć wątpię, by ktokolwiek ich słuchał”. Rysunki bardziej mu się spodobały. „Ojciec chłopców przynajmniej próbował narysować niedźwiedzie, choć nie wyszło mu najlepiej. Oczywiście, to wszystko bzdury, ale na nie odpowiem”.

Ułożył zatem alfabet z symboli znalezionych w jaskiniach. Twierdzi, że są ładniejsze niż zwyczajne litery, runy bądź znaki polarne i lepiej odpowiadają jego łapie. Kreśli je drugim końcem obsadki! Napisał do Was krótki list swoim alfabetem. Życzy Wam w nim najweselszych świąt i świetnej zabawy w Nowy Rok, a także powodzenia w szkole. Ponieważ jesteście już bardzo mądrzy (tak twierdzi), uczycie się łaciny, greki i francuskiego, na pewno z łatwością przeczytacie list i dowiecie się, że Niedźwiedź Polarny przesyła Wam pozdrowienia.

a very Merry Christmas and lots of fun in the New Year and
good luck at School. As you are all so clever now (he says)
what with Latin & French & Greek you will easily read it and
see that P.B sends much love. *

I am not so sure. But P.B says that nearly all of it is
actually in my letter between the two red stars. (Anyway, I dare
say he would send you a copy of his alphabet if you wrote & asked.
By the way he writes it in columns from top to bottom, not across:
don't tell him I gave away his secret).

This is one of my very longest letters. It has been
an exciting time. I hope you will like hearing about it.
I send you all my love : John, Michael, Christopher, & Priscilla:
also Mummy and Daddy and Auntie & all the people in your
house. I daresay John will feel he has got to give up stock-kings
now & give way to the many new children that have arrived since
he first began to hang his up ; but Fr. Ch. will not forget him.
Bless you all. Your loving
                    Nicholas Christmas.

Christmas 1932 *

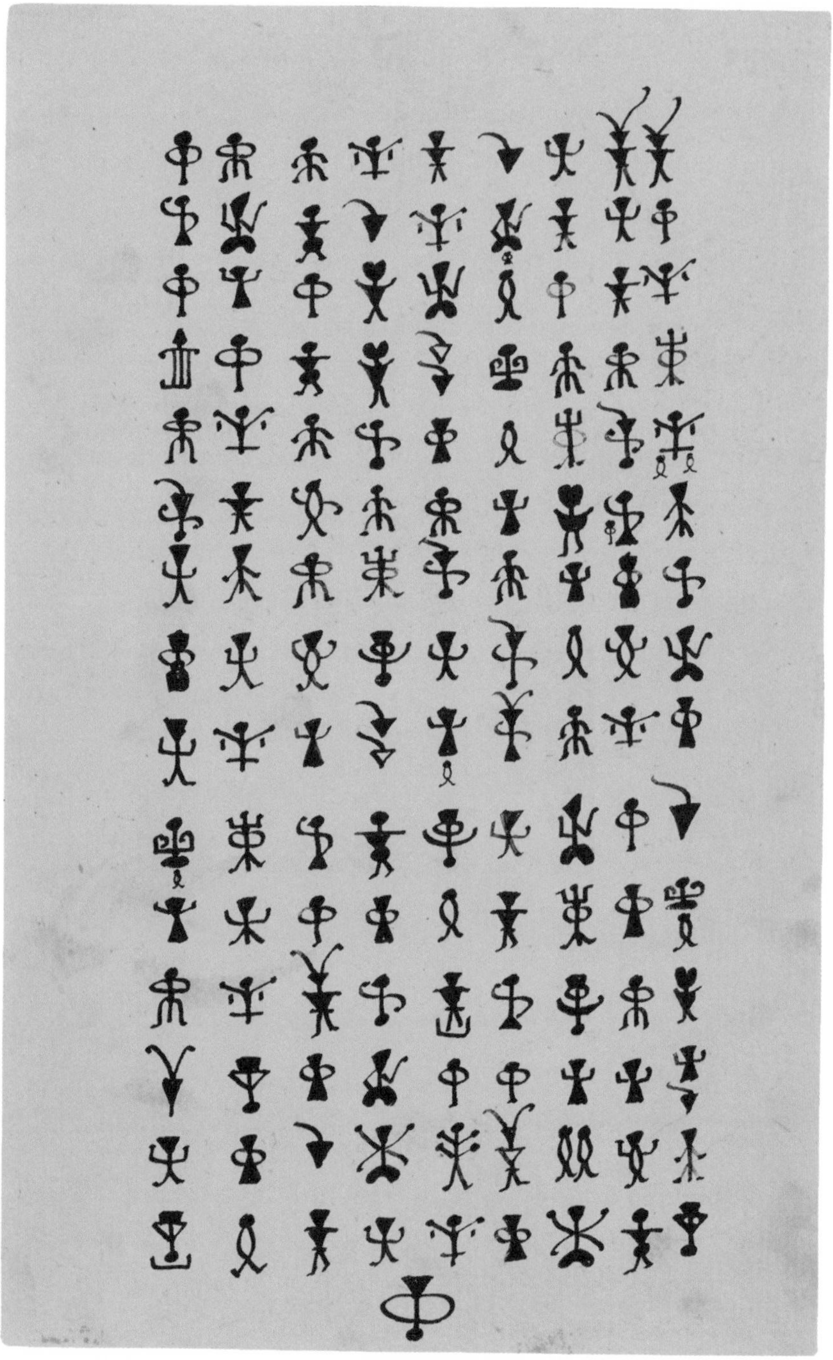

Ja nie jestem tego taki pewien. (Śmiem sądzić, że jeśli go poprosicie, prześle Wam kopię swojego alfabetu. A przy okazji, Niedźwiedź nie pisze od lewej do prawej, lecz w kolumnach z góry na dół. Tylko mu nie mówcie, że zdradziłem jego sekret).

To jeden z najdłuższych listów, jakie do Was napisałem. Mamy za sobą ekscytujące przeżycia. Sądzę, że Wam też się spodobają. Wszystkich Was pozdrawiam: Johna, Michaela, Christophera i Priscillę, a także mamę, tatę, ciocię i każdego domownika. Przypuszczam, że John uznał, iż musi już zrezygnować ze skarpety i ustąpić miejsca wielu nowym dzieciom, które zjawiły się na świecie, odkąd zaczął ją wywieszać, lecz Święty Mikołaj o nim nie zapomni. Bądźcie zdrowi.

Wasz kochający
Święty Mikołaj

North Pole.
Dec. 2nd. 1933.

Dear People. Very cold here at last. Business has really begun. & we are working hard. I have had a good many letters from you. Thank you. I have made notes of what you want so far but I expect I shall hear more from you yet. I am rather short of messengers — the goblins have — but I haven't time to tell you about our

excitements now. I hope I shall find time to send a letter later. Give John my love when you see him. I send love to all of you, & a kiss for Priscilla — tell her my beard is quite nice & soft, as I have never shaved. Three weeks to Christmas Eve!

Yrs Father N. Christmas

CHEER VP CHAPS* THE
FVN'S BEGINNING YRS
*also chapter (if that's the feminine) F.C.

112

Obok Bieguna Północnego
2 grudnia 1933 roku

Kochani!

W końcu nastał mróz. Zaczęliśmy już przygotowania i pracujemy bardzo ciężko. Dostałem od Was wiele listów. Dziękuję. Zanotowałem, czego jak dotąd chcecie, ale spodziewam się, że odezwiecie się jeszcze. W tej chwili trochę brakuje

mi posłańców — przez gobliny — ale nie mam teraz czasu, by opowiadać o ostatnich wydarzeniach. Mam nadzieję, że wkrótce zdołam napisać dłuższy list.

Ucałujcie ode mnie Johna, kiedy go zobaczycie. Pozdrawiam Was wszystkich i całuję Priscillę — powiedzcie jej, że moja broda jest miękka i delikatna, bo nigdy się nie goliłem.

Trzy tygodnie do Wigilii!

Wasz Święty Mikołaj

Uszy do góry, zuchy (i zuszko, jeśli tak wygląda forma żeńska). Zabawa dopiero się zaczyna!

Wasz Niedźwiedź Polarny

Dom na Skale,
obok Bieguna Północnego
21 grudnia 1933 roku

Kochani!

Znów mamy święta! A w pewnym momencie (w listopa-dzie) niemal myślałem już, że w tym roku świąt w ogóle nie będzie. Oczywiście nadejdzie 25 grudnia, ale wasz praprapra... i tak dalej dziadek z Bieguna Północnego w ogóle się nie zjawi.

Część historii znajdziecie na moich obrazkach. Gobliny. Najgorszy atak od wieków. W zeszłym roku wykurzyliśmy je zielonym dymem i odebraliśmy wszystkie skradzione zabawki. Od tego czasu były wściekłe i wzburzone. Pamiętacie, że Czerwone Gnomy obiecały się ich pozbyć? Nim nastał Nowy Rok, wszystkie gobliny zniknęły z dziur i jaskiń, ale wiedziałem, że znów się zjawią — może za sto lat.

Nie czekały tak długo! Musiały ściągnąć swych paskudnych przyjaciół z gór całego świata i porządnie zakrzątnąć się w lecie, gdy morzy nas sen. Tym razem prawie nie było ostrzeżenia.

Wkrótce po dniu Wszystkich Świętych Niedźwiedź Polarny zaczął się denerwować. Teraz twierdzi, że czuł wstrętne zapachy — ale jak zwykle o niczym nie wspomniał. Mówi, że nie chciał mnie niepokoić. Naprawdę poczciwy z niego miś! I tym razem to on ocalił święta. Zaczął sypiać w kuchni z nosem skierowanym ku drzwiom piwnicy, wychodzącym na główne schody, które wiodą do magazynów.

Pewnej nocy, tuż przed urodzinami Christophera, ocknąłem się nagle. W pokoju słychać było piski i trzaski. W powietrzu rozeszła się ohydna woń — i to w mojej najlepszej zielono-fioletowej sypialni, którą właśnie skończyłem urządzać. Dostrzegłem w oknie małą złośliwą twarz. To naprawdę mnie zaniepokoiło, bo moje okno tkwi wysoko nad skałami, co oznaczało, że w pobliżu krążą gobliny na nietoperzach. Czegoś takiego nie widzieliśmy od czasu wojny z goblinami w 1453 roku, o której już Wam wspominałem.

Cliff House
near the North Pole.
✳ December 21st ✳
1933

My dears

Another Christmas! and I almost thought at one time (in November) that there would not be one this year. There would be the 25th of Dec. of course, but nothing from your old great-great-great-etc. grandfather at the North Pole. My pictures tell you part of the story. **Goblins** The worst attack we have had for centuries. They have been fearfully wild and angry ever since we took all their stolen toys off them last year & dosed them with green smoke. You remember the Red Gnomes promised to clear all of them out. There was not one to be found in any hole or cave by New Year's day. But I said they would crop up again — in a century or so. They have not waited so long! They must have gathered their nasty friends from mountains all over the world, & been busy all the summer while we were at our sleepiest. This time we had very little warning. Soon after All Saints' Day PB got very restless. He now says he smelt nasty smells — but as usual he did not say anything: he says he did not want to trouble me. He really is a nice old thing, & this time he absolutely saved Christmas. He took to sleeping in the kitchen with his nose towards the cellar-door, opening on the main-stairway down into my big stores.

One night just about Christopher's birthday, I woke up suddenly. There was squeaking and spluttering in the room & a nasty smell — in my own best green & purple room that I had

117

Dopiero co się ocknąłem, gdy z domu dobiegł mnie przeraźliwy harmider; hałas dochodził z piwnic. Opis zająłby zbyt dużo miejsca, toteż próbowałem narysować to, co zobaczyłem, gdy zbiegłem na dół — po drodze nadepnąwszy na przyczajonego na wycieraczce goblina.

Tyle że goblinów było nie piętnaście, ale blisko tysiąc.

(Trudno jednak oczekiwać, bym narysował cały tysiąc). Niedźwiedź Polarny zgniatał, deptał, dusił, kopał i wyrzucał gobliny w powietrze. Ryczał przy tym niczym całe zoo, a gobliny piszczały jak gwizdki lokomotyw. Był wspaniały.

To nic takiego. Świetnie się bawiłem!

Długo by opowiadać. Nasze kłopoty trwały ponad dwa tygodnie i zacząłem się lękać, że w tym roku nie zdołam dotrzeć do sań. Gobliny podpaliły część magazynów.

Schwytały też kilkanaście gnomów, które spały tam, pełniąc wartę. Na szczęście potem do akcji wkroczył Niedźwiedź Polarny z innymi gnomami — nim się zjawiłem, zabili ponad setkę.

Lecz nawet gdy ugasiliśmy pożar i uprzątnęliśmy dom i piwnicę (nie mam pojęcia, co gobliny robiły w mojej sypialni, może próbowały podpalić mi łóżko), kłopoty nie ustały. W blasku księżyca lód wydawał się czarny od setek tych stworów. Gobliny zniszczyły też moje stajnie i ukradły renifery. Musiałem zadąć w złotą trąbkę (nie robiłem tego od lat), by wezwać przyjaciół. Stoczyliśmy kilka bitew. Co noc gobliny atakowały i próbowały podpalać magazyny. W końcu jednak uzyskaliśmy przewagę, choć niestety sporo kochanych elfów odniosło obrażenia.

just had done up most beautifully. I caught sight of a wicked little face at the window. Then I I really was upset: for my window is high up above the cliff & that meant there had nasty goblins about — which we haven't seen since the goblin-war in 1453, that I told you about. I was only just quite awake, when a terrific din began far downstairs — in the store-cellars. It would take too long to describe, so I have tried to draw a picture of what I saw when I got down — after treading on a goblin on the mat. **ONLY THERE WAS MORE LIKE 1000 GOBLINS THAN 15** F.F. (But you could hardly expect me to draw 1000). PB was squeezing, squashing, trampling, boxing and kicking goblins sky-high & roaring like a zoo, & the goblins were yelling like engine whistles. He was splendid. **SAY NO MORE — I ENJOYED IT IMMENSELY!** Well it is a long story. The trouble lasted for over a fortnight & it began to look as if I should never be able to get my sleigh out this year. The goblins had set part of the stores on fire and captured several gnomes, who sleep down there on guard before PB and some more gnomes, came in — and killed 100 before I arrived. Even when we had put the fire out — and cleared the cellars and house (I can't think what they were doing in my room, unless they were trying to set fire to my bed) the trouble went on. The ground was black with goblins under the moon when we looked out — and they had broken up my stables and gone off with the reindeer. I had to blow my golden trumpet (which I have not done for many years) to summon all my friends. There were several battles — every night they used to attack and set fire in the stores — before we got the upper hand & I am afraid quite a lot of my dear elves got hurt. Fortunately we have not lost much except my best sleighs (gold and silver) and packing papers and holly-boxes. I am very short of these: and I have been very short of messengers. Lots of my people are still away (I hope they will come back safe) chasing the goblins out of my land, those that are left alive. They have rescued all my reindeer. We are quite happy & settled again now, & feel much safer. It really will be centuries before we get another goblin-trouble. Thanks to

P.B, & the gnomes, there can't be very many left at all.
AND FP.G. I WISH I COVLD DRAW OR
HAD TIME TO TRY — YOU HAVE NO IDEA
WHAT THE OLD MAN CAN DOO! LITENING
AND FIERWORKS AND THUNDER OF GUNS!

P.B. certainly has been busy, helping double helps — but he has
mixed up some of the owls' things with the boys' in his hurry. We
hope we have got all sorted out — but if you hear of any one getting
a doll when they wanted an engine, you will know why.
Actually P.B tells me I am wrong, we did lose a lot of
railway stuff — goblins always go for that — and what we got
back was damaged and will have to be repainted. It
will be a busy summer next year.

Now a merry Christmas to you all once again. I
hope you will all have a very happy time. You
will find that I have taken notice of your letters & sent you
what you wanted. I don't think my pictures are very
good this year — though I took quite a time over them
(at least two minutes). P.B says I don't see that a lot of stars
& pictures of goblins in your bed room are so frightfully merry".
Still I hope you won't mind. It is rather good of P.B kicking
really. Anyway I send lots of love.

Yours ever and annually
Father N. Christmas.

Na szczęście straty okazały się nieduże: moja najlepsza wstążka (złoto-srebrna), papiery do pakowania i ozdobne pudełka. Mam ich stanowczo za mało, podobnie jak posłańców. Wielu z nich wciąż jeszcze nie wróciło (mam nadzieję, że nic się im nie stanie). Na razie próbują przegonić gobliny z mojej ziemi — te, które wciąż żyją.

Przyjaciele uratowali wszystkie moje renifery. Teraz czujemy się już szczęśliwi, zadowoleni i znacznie bezpieczniejsi. Tym razem naprawdę miną wieki, nim gobliny znów się tu zjawią. Dzięki Niedźwiedziowi Polarnemu i gnomom z pewnością niewiele ich zostało.

I dzięki Świętemu Mikołajowi. Szkoda, że nie umiem rysować ani nie mam czasu na próby — nie macie pojęcia, co potrafi zdziałać ten staruszek: pioróny, fajewerki i grzmot strzelb!

Niedźwiedź Polarny bardzo pomógł mi przy prezentach, ale w pośpiechu pomieszał zabawki dla dziewcząt i dla chłopców. Mam nadzieję, że udało nam się wszystko uporządkować — jeśli jednak usłyszycie, że ktoś zamiast lokomotywy dostał lalkę, będziecie wiedzieć dlaczego. Niedźwiedź Polarny podpowiada mi, że się mylę — straciliśmy sporo elementów kolejek (gobliny zawsze się na nie rzucają), a te odzyskane okazały się uszkodzone i trzeba będzie pomalować je na nowo. W przyszłym roku czeka nas pracowite lato.

Jeszcze raz życzę Wam wszystkim wesołych świąt. Mam nadzieję, że będą radosne i że przekonacie się, iż przeczytałem uważnie wszystkie listy i wysłałem Wam to, o co prosiliście.

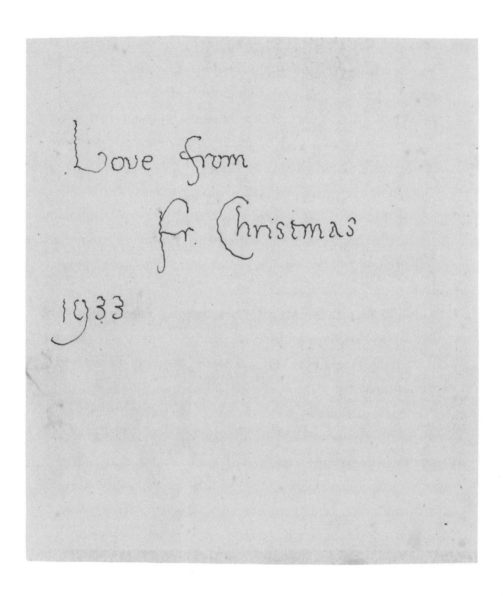

Love from

Fr. Christmas

1933

W tym roku moje obrazki nie są najlepsze, choć poświęciłem im sporo czasu (co najmniej dwie minuty).

— Nie wydaje mi się, by mnóstwo gwiazd i obrazków goblinów w twojej sypialni było specjalnie radosnych — mówi Niedźwiedź Polarny.

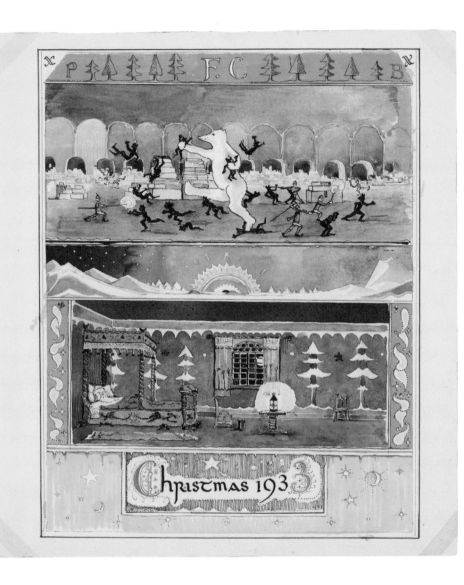

Mam nadzieję, że Wam to nie przeszkadza. Ten z Niedźwiedziem kopiącym gobliny jest całkiem niezły. Przesyłam wyrazy miłości.

Wasz, jak zawsze i co roku
Święty Mikołaj

Pilne!   Bardzo pilne!   Ekspres!

Mój drogi Christopherze!

Dziękuję! Obudziłem się już, i to dawno, lecz moja poczta zaczyna pracę dopiero po 29 września, dniu świętego Michała. W tym roku nie zamierzam wysyłać regularnie moich posłańców aż do 15 października. Mamy tu mnóstwo pracy. Twój telegram — dlatego właśnie odpowiadam ekspresem — i list, a także list Priscilli, znaleziono przypadkiem. Nie natknął się na nie posłaniec, lecz Dzwonkowy (nie wiem, skąd wziął to miano, bo nigdy nie dzwoni w żadne dzwony. To mój

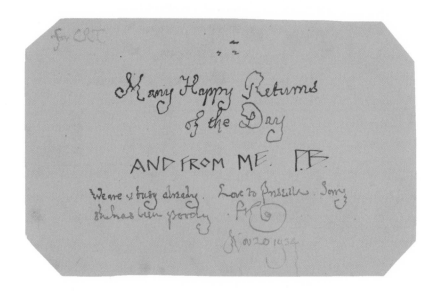

My dear C.

Thank you! I have been a long while. ∴ I am awake — & But my post-office does not — really open ever until Michaelmas. I shall not be sending my messengers out regularly this year until about October 15th. There is a good deal to do up here. Your telegram — that is the I have sent an express reply — & letto Prisilla's (does she really spell it that way?) were found quite by accident: not by a messenger, but by Bellman (I don't know how he got that name because he never rings any; he is my chimney inspector

& always begins work as soon as the first fires are lit.) Very much love to you and P. (The P.B., if you remember him, is still fast asleep, & quite thin after so much fasting. He will soon cure that. I shall tickle his ribs & wake him up soon; & then he will eat several months' breakfast all in one.) More love.

Yr loving Fr C

193 4

!! To messenger: Deliver at once & don't stop on the way !!

kominiarz. Zawsze zaczyna pracę, gdy pierwszy raz rozpalamy w kominku).

Serdecznie pozdrawiam Ciebie i Priscillę. (Niedźwiedź Polarny, jeśli go jeszcze pamiętacie, wciąż smacznie śpi. Jest bardzo chudy po długim poście. Wkrótce jednak temu zaradzi. Niedługo obudzę go, łaskocząc po żebrach. Wtedy na jedno posiedzenie pochłonie kilkumiesięczne śniadanie).

Jeszcze raz całuję, Wasz kochający Święty Mikołaj

!! Do posłańca: Dostarczyć natychmiast i nie zatrzymywać się po drodze!!

Dom na Skale,
Biegun Północny
Wigilia, 1934 rok

Mój drogi Christopherze!

Dziękuję za liczne listy. W tym roku nie miałem czasu,
by napisać równie obszernie jak w latach 1932 i 1933, ale
nie zdarzyło się nic szczególnie ciekawego. Mam nadzieję,

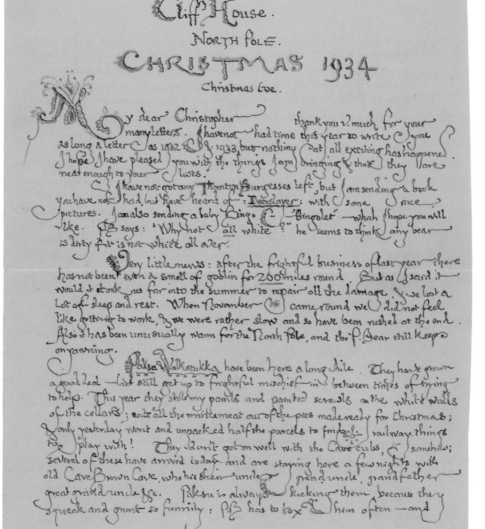

Cliff House.
NORTH POLE.

CHRISTMAS 1934

Christmas Eve.

My dear Christopher thank you v. much for your many letters. I have not had time this year to write you as long a letter as 1932 & 1933 but nothing at all exciting has happened. I hope I have pleased you with the things I am bringing & that they are neat enough to your lists.

I have not got any Thornton Burgesses left, but I am sending a book you have not had, but have heard of: Deerslayer: with some nice pictures. I am also sending a baby Bingo — "Bingolet" — which I hope you will like. PB says: "Why not all white?" he seems to think any bear is dirty that is not white all over.

Very little news: after the frightful business of last year there has not been even a smell of goblin for 200 miles round. But as I said it would it took us far into the summer to repair all the damage, & we lost a lot of sleep and rest. When November came round we did not feel like getting to work, & we were rather slow and so have been rushed at the end. Also it has been unusually warm for the North Pole, and tho' P. Bear still keeps on yawning.

Paksu & Valkotukka have been here a long while. They have grown a good deal — but still get up to frightful mischief in between times of trying to help. This year they spilt my paints and painted scrawls on the white walls of the cellars; ate all the mincemeat out of the pies made ready for Christmas; & only yesterday went and unpacked half the parcels to find railway things to play with! They don't get on well with the Cave cubs, somehow; several of these have arrived today and are staying here a few nights with old Cave Brown Cave, who is their uncle grand uncle, grandfather great grand uncle &c. Paksu is always kicking them because they squeak and grunt so funnily: PB has to box him often — and

że moje prezenty Cię ucieszą i okażą się podobne do rzeczy z przesłanej przez Ciebie listy.

Nie zostały mi już żadne książki Thorntona Burgessa o zwierzątkach, ale wysyłam ci powieść, której jeszcze nie masz: *Pogromcę zwierząt*, z bardzo ładnymi rysunkami. Do tego małego misia Bingo — „Bingusia" — mam nadzieję, że ci się spodoba.

— Dlaczego nie białego? — pyta Niedźwiedź Polarny; najwyraźniej uważa, że jeśli niedźwiedź nie ma białego futra, to jest brudny.

Nie mam zbyt wielu wieści. Po okropnych wydarzeniach zeszłego roku w promieniu dwustu mil nie czuć nawet najsłabszego zapachu goblina. Jak się obawiałem, naprawa poczynionych przez nie szkód zabrała nam większą część lata. Straciliśmy mnóstwo snu i czasu na odpoczynek.

Gdy nadszedł listopad, nie mieliśmy zupełnie ochoty brać się do pracy. Wszystko robiliśmy bardzo wolno, toteż pod koniec musieliśmy ostro przyspieszyć. Na Biegunie Północnym wciąż jest nietypowo ciepło. Niedźwiedź Polarny cały czas ziewa.

Paksu i Valkotukka przebywają u nas już od dawna. Sporo urośli — wciąż jednak w chwilach, gdy nie pomagają,

Christmas 1934

niemiłosiernie psocą. W tym roku ukradli mi farby i pokryli bazgrołami białe ściany piwnicy, wyjedli mięsny farsz z przygotowanych na święta pasztecików, a zaledwie wczoraj odpakowali połowę paczek, szukając kolejek.

Raczej nie przepadają za Niedźwiadkami Jaskiniowymi. Kilka tych ostatnich przybyło dziś w odwiedziny do Brązowego Niedźwiedzia Jaskiniowego, który jest ich wujem, prawujem, dziadkiem, praprawujem etc. Paksu często je kopie, bo bardzo zabawnie piszczą i pomrukują. Niedźwiedź Polarny musi wciąż karcić go szturchańcami — a z jego łapy to nie byle co.

Ponieważ nie ma już goblinów ani wiatru i mamy znacznie mniej śniegu niż zwykle, zamierzamy urządzić sobie wspaniałe świąteczne przyjęcie — na dworze. Zaproszę na nie sto elfów i Czerwonych Gnomów, mnóstwo Niedźwiadków Polarnych i Jaskiniowych, a także Bałwanków. Oczywiście będą także Paksu, Valkotukka, Niedźwiedź Polarny, Niedźwiedź Jaskiniowy i jego siostrzeńcy (etc.).

Sprowadziliśmy choinkę aż z Norwegii i posadziliśmy ją w lodowym stawie. Mój rysunek nie oddaje jej wielkości i urody magicznych, wielobarwnych lampek. Wczoraj

'box' from P.B. is no joke. As there are no Goblins about, and as there is no wind, & so far much less snow than usual, we are going to have a great boxing-day party ourselves — out of doors. I shall ask 100 elves & red gnomes, lots of polar cubs, cave-cubs, and snow-babies & of course P+V and P.B and CLC and his nephews (etc) will be there. We have brought a tree all the way from Norway and planted it in a pool of ice. My picture gives you no idea of its size, or of the loveliness of it. I made lights of different colours. We tried them yesterday evening to see if they were all right — See picture. If you see a bright glow in the North you will know what it is. The tree-ish things behind, are snow-plants, and piled masses of snow made into ornamental shapes — they are purple and black because of darkness & shadow. The coloured things in front is a special edging to the Ice-pool — and it's made of real coloured & icing. P & V are already nibbling at it, though they should not — till the party.

P.B. started to draw this to help me, as I was busy, but he dropped such blots — enormous ones — hold it up to the light and you will see where I had to come to the rescue. P.B. very good this year. Never mind: perhaps better next year. I hope you will like your presents & be very happy. Your loving

F' Christmas.

I really can't remember exactly in what year I was born. I doubt if any one knows. I am always changing my own mind about it. Anyway it was 1934 years ago or jolly nearly that. Bless you!

F.C.

P.B. LOVE
BISY THANKS
P.S Give my love to Mick & John.

wypróbowaliśmy je, aby sprawdzić, czy działają. Jeśli ujrzycie na północy jasną łunę, będziecie wiedzieli, skąd się wzięła!

Za choinką widać śnieżne rośliny i stosy śniegu ugniecione w ozdobne kształty — są fioletowe i czarne z powodu ciemności i cienia. Staw otacza kolorowe obramowanie. Zrobiliśmy je z lukru. Paksu i Valkotukka już teraz je skubią, choć wiedzą, że powinni poczekać aż do przyjęcia.

Niedźwiedź Polarny zaczął to wszystko rysować, by mi pomóc, bo byłem bardzo zajęty. Sadził jednak tak wielkie kleksy — naprawdę olbrzymie! unieście obrazek do światła, a zobaczycie, gdzie były — że musiałem przybyć z odsieczą. Tegoroczny rysunek nie jest najlepszy. Nie szkodzi, może poprawię się za rok.

Mam nadzieję, że spodobają Ci się prezenty i że będziesz szczęśliwy.

Twój kochający
Święty Mikołaj

PS Naprawdę nie pamiętam dokładnie, w którym roku się urodziłem. Wątpię, by ktokolwiek to pamiętał. Stale zmieniam zdanie w tej sprawie. Było to jakieś tysiąc dziewięćset trzydzieści cztery lata temu albo prawie tyle. Zdrowia! ŚM

PPS Ucałuj ode mnie Micka i Johna.

Niedźwiedź Polarny POZDRAWIAM ZAJENTY DZIĘKI

24 grudnia 1934

Kochana Priscillo!

Dziękuję za przemiłe listy. Ściskam Cię mocno. Mam nadzieję, że będziesz już zdrowa i spodobają ci się rzeczy, które przywiozę. Czy potrafisz już sama to przeczytać? Starałem się pisać jak najładniej.

Niedźwiedź Polarny pozdrawia. Cieszy się, że nazwałaś swojego misia Bingo: uważa, że to ładne imię, ale według niego niedźwiedzie powinny być całe białe. W liście do Christophera załączam rysunek dla Was obojga.

Twój kochający
Święty Mikołaj

**Kochający
Zajenty
Dzięki N.P.**

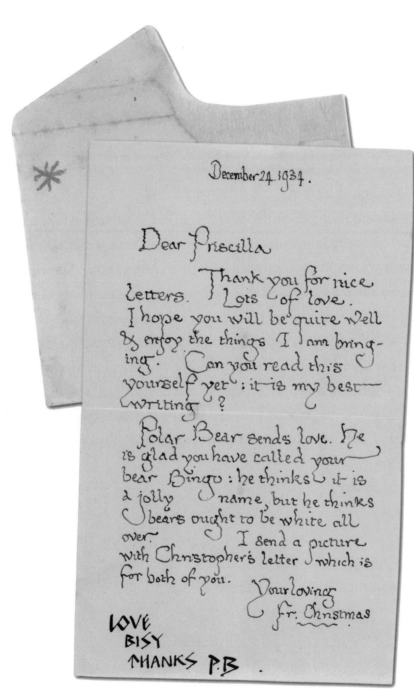

December 24. 1934.

Dear Priscilla

Thank you for nice letters. Lots of love.
I hope you will be quite well & enjoy the things I am bringing. Can you read this yourself yet: it is my best writing?

Polar Bear sends love. He is glad you have called your bear Bingo: he thinks it is a jolly name, but he thinks bears ought to be white all over. I send a picture with Christopher's letter which is for both of you.

Your loving
Fr. Christmas

LOVE
BISY
THANKS P.B .

135

24 grudnia 1935 roku
Biegun Północny

Kochane Dzieci!

I znów mamy święta. Nadchodzą bardzo regularnie, zawsze takie same i zawsze zupełnie inne. Tym razem nie mam atramentu ani wody, więc niczego wam nie namaluję. Mam tylko drżące ręce i bardzo chwiejne pismo.

W zeszłym roku było bardzo ciepło. W tym nadeszły przeraźliwe mrozy — śnieg, śnieg, śnieg i lód. Śnieg dosłownie nas zasypał. Posłańcy błądzili w drodze i zamiast do Szkocji trafiali do Nowej Szkocji, jeśli wiecie, gdzie to jest. A NP, jeśli wiecie, o kim mowa, nie mógł wrócić do domu.

Głupstwa.

Oto obrazek przedstawiający mój dom jakiś tydzień temu, nim odkopaliśmy stajnie reniferów. Musieliśmy przebić tunel do drzwi frontowych. Przez otwory przeświecają tylko trzy górne okna, a w miejscu, gdzie widać parę, śnieg topnieje w zetknięciu z dachem i kopułą.

Oto widok z okna mojej sypialni. Oczywiście padający śnieg nie jest niebieski — lecz kolor niebieski oznacza mróz. Rozumiecie teraz, czemu listy od Was dotarły tu z opóźnieniem.

Mam nadzieję, że dostałem wszystkie i że w tym roku otrzymacie właściwe prezenty.

Biedny stary NP, jeśli wiecie, kogo mam na myśli, musiał miesiąc temu wyruszyć w drogę — akurat wtedy, gdy spadły pierwsze śniegi.

Znów głupstwa.

Jego rodzina miała jakieś kłopoty, a Paksu i Valkotukka się rozchorowali. NP świetnie sobie radzi z opieką nad wszystkimi, poza sobą samym.

Miał do pokonania długą drogę przez lód i śnieg — zdaje się, że zmierzał aż na północ Grenlandii, a kiedy tam dotarł, nie mógł wrócić. Stąd moje opóźnienie. Zwłaszcza że stajnie reniferów i zewnętrzne magazyny zasypał śnieg.

Musiałem ściągnąć tu mnóstwo Czerwonych Elfów. Wydają się pocieszne i miłe, lecz choć działają bardzo szybko, nie są zbyt pomocne. Wszystko zamieniają w zabawę, nawet odgarnianie śniegu. Bawią się też prezentami, które powinny pakować.

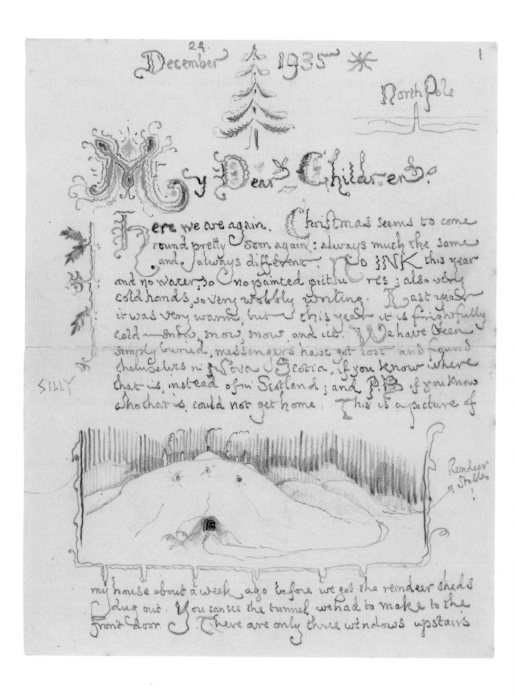

December 24. 1935

North Pole

My Dear Children:

Here we are again. Christmas seems to come round pretty soon again: always much the same and always different. No INK this year and no water, so no painted pictures; also very cold hands, so very wobbly writing. Last year it was very warm, but this year it is frightfully cold — snow, snow, snow, and ice. We have been simply buried, messengers have got lost and found themselves in Nova Scotia, if you know where that is, instead of in Scotland; and P.B. if you know who that is, could not get home. This is a picture of

SILLY

Reindeer Stables!

my house about a week ago before we got the reindeer sheds dug out. You can see the tunnel we had to make to the front door. There are only three windows upstairs

shining through holes — but you can see steam where
the snow is melting off the dome and roofs.
This a view from my bedroom window. Of course snow

coming down is not blue — but blue is cold. You can
understand why your letters were slow in going.
Those I got them all, and anyway that the right
things arrive for you. Poor old PB, (you who
I mean) had to go away
so after the snow began
last month. There was some
trouble in his family, and Paksu
& Valkotukka were ill. He —

SILLY
AGAIN

very good at doctoring anybody but himself. But it
it is a dreadfully long way over the ice and snow —
to North Greenland I believe. And when he got
there he could not get back. So I have been rather
held up, especially as the Reindeerstables and the outdoor
store sheds are snowed over. I have had to have a

lot of Red Elves to help me. They are very nice
& great fun; but although they are very quick, they
don't get on fast, for they turn everything into a
game. Even digging snow. And they will play with

139

NP, jeśli go jeszcze pamiętacie,

I znowu głupstwa.

wrócił dopiero w piątek 13 grudnia, dowodząc tym samym, że w sumie to bardzo szczęśliwy dzień!

(TO CI DOPIERO!)

Nawet on musiał włożyć dodatkowy kożuch i ukryć łapy w czerwonych rękawiczkach. Ma też czapkę. Uważa, że wygląda w tym wszystkim jak prawdziwy dżentelmen, ale oczywiście to nieprawda. W czapce nosi najróżniejsze rzeczy — przyniósł w niej do domu mydło i gąbkę!

NP twierdzi, że gobliny mimo bitew w 1933 roku nie powiedziały jeszcze ostatniego słowa.

Na razie nie ważą się przekroczyć granicy moich włości, lecz z jakiegoś powodu znów się mnożą na całym świecie. Paskudna sprawa. Niedźwiedź twierdzi, że w Anglii nie ma ich zbyt wielu, spodziewam się jednak, że wkrótce czekają nas kłopoty.

Podarowałem moim elfom nowe magiczne włócznie iskierkowe, które śmiertelnie przerażają gobliny. Mamy już 24 grudnia, a one jak dotąd się nie zjawiły. Praktycznie wszystko zostało już zapakowane i przygotowane do drogi. Wkrótce wyruszam.

Przesyłam Wam wszystkim — Johnowi i Michaelowi, Christopherowi i Priscilli — ucałowania i życzenia wesołych świąt. Całe tony życzeń. Jeśli nie chcecie ich wszystkich, przekażcie część dalej. Niedźwiedź Polarny (to na wypadek, gdybyście nie wiedzieli, co oznacza NP)

Głupi dowcip.

the toys they are supposed to be packing. P.B., if you remember him, did not get back until Friday December the 13th — so that proved a lucky day for me (HEAR HEAR!) after all. Even he had to wear a sheepskin coat+y red gloves for his paws. And he had on a hood on and red gloves. He thinks he looks rather like St Anthony But of course he does not very much. Anyway he carries things in his hood — he brought home his sponge and soap in it!

He says that we have not seen the last of the goblins — inspite of the battles in 1933. They won't dare to come into my land yet; but for some reason they are breeding again and multiplying all over the world Quite a nasty outbreak! But there are not so many in England, he says. I expect I shall have trouble with them soon. I have given my elves

Some new magic sparkler spears that will scare them out of their wits. It is now December 24 and they have not appeared this year — and practically everything is packed up and ready. I shall be starting soon

I send you all — John & Michael & Xopher & Priscilla — my love and good wishes this Xmas: tons of good wishes. Pass on a few if you don't want them all!

STUPID JOKE

✳
PB

Polar Bear (in case you don't know what P.B. is) sends love to you — and to the Bingos and to Orange Teddy and to Jubilee (O yes I learn lots of news even in snowy weather) My messengers will be about until the New Year if you want to write and tell me everything was all right — I hope you enjoy the PANTOMIME

Your loving

Father Christmas

PS. P & V are well again. Only Mumps. They will be at my big party on St Stephens Day with other polar cubs, cave cubs, snowbabies, elves, and all the rest.

dołącza pozdrowienia, także dla Bingów, Pomarańczowego Niedźwiadka i Jubilee (o tak, mimo śniegu wieści wciąż do mnie docierają). Moi posłańcy będą krążyć po świecie do Nowego Roku, możecie więc napisać do mnie i powiedzieć, czy wszystko w porządku.

Mam nadzieję, że spodoba się Wam pantomima.

Wasz kochający
Święty Mikołaj

PS Paksu i Valkotukka czują się już dobrze. To była tylko świnka. Przyjdą na moje przyjęcie w drugi dzień świąt wraz z innymi Niedźwiadkami Polarnymi i Jaskiniowymi, Bałwaniątkami, elfami i całą resztą.

Cliff House.
North Pole
Wednesday Dec. 23rd
1936

My dear Children

I am sorry I cannot send you a
long letter to thank you for yours, but
I am sending you a picture which will explain
a good deal. It is a good thing your
changed lists arrived before these awful
events, or I could not have done anything
about it. I do hope you will like what I am
bringing and will forgive any mistakes, & I
hope nothing will still be wet! I am
still so shaky and upset. I am getting one of
my elves to write a bit more about things.
I send very much love to you all.

Father C. says you will want to hear some news. PB has been quite
good — or had been — though he has been rather tired. So has F.C. I think
the Christmas business is getting rather too much for them. So a lot of us,
red and green elves, have gone to live permanently at Cliff House, and be
trained in the packing-business. It was PB's idea. He also invented the
number system, so that every child that F.C. deals with has a number
and we elves learn them all by heart, and all the addresses. that saves

144

Dom na Skale,
Biegun Północny
23 grudnia 1936 roku, środa

Drogie Dzieci!

Przykro mi, że nie mogę wysłać długiego listu i podziękować za wieści od Was. Dołączam jednak obrazek, który wiele wyjaśni. Dobrze, że zmienione listy prezentów dotarły do mnie przed tym okropnym wypadkiem, bo inaczej bym sobie nie poradził. Mam nadzieję, że spodoba się Wam to, co przyniosę, i wybaczycie mi drobne pomyłki. Mam też nadzieję, że wszystko będzie suche! Wciąż jestem zdenerwowany i roztrzęsiony, toteż poproszę jednego z elfów, by napisał do Was coś więcej.

Przesyłam Wam wszystkim bardzo dużo miłości.

Święty Mikołaj mówi, by przekazać Wam wieści. Niedźwiedź Polarny, choć zmęczony, zachowuje się – czy raczej zachowywał – bardzo grzecznie. Święty Mikołaj też jest zmęczony. Mam wrażenie, że całe te święta powoli ich przerastają.

Duża grupa nas, czerwonych i zielonych elfów, zamieszkała na stałe w Domu na Skale. Tu nauczono nas pakowania. To był pomysł Niedźwiedzia Polarnego, który wynalazł także matematyczny system, przydzielający każdemu dziecku inną liczbę. My, elfy, uczymy się tych liczb na pamięć, podobnie wszystkich adresów. To oszczędza mnóstwo pisania.

a lot of writing. So many children have the same name that every packet used to have the address as well. P.B. said: I am going to have a record year and help F.C. to get so forward we can have some fun ourselves on Xmas day. We all worked hard, and you will be surprised to hear that every single parcel was packed and numbered by Saturday last (Dec. 19). Then P.B. said "I am tired out: I am going to have a hot bath and go to bed early." Well you can see what happened. F.C. was taking a last look round in the English Delivery Room about 10 o'clock when water poured through the ceiling and swamped everything: it was soon 6 ins. deep on the floor. P.B. had simply got into the bath with both taps running and gone fast asleep with one hind paw on the overflow. He had been asleep two hours when we woke him. F.C. was really angry. But P.B. only said: "I did have a jolly dream. I dreamt I was diving off a melting iceberg and chasing seals." He said later when he saw the damage: "Well there are some things: those children at Northpole Road (he always says that) Oxford may lose some of their presents, but they will have a letter worth having this year. They can see a joke, even if none of you can!" That made F.C. angrier, and P.B. said: "Well, draw a picture of it, and ask them if it is funny or not." So F.C. has. But he has begun to think it funny (although very annoying) himself, now we have cleared up the mess, & got the English presents repacked again. Just in time. We are all rather tired, so please excuse scrawly writing.

Yrs. Ilbereth, secretary to F.S. Christmas

You will find two snapshots in this letter. Give them back to your Mother. I hoped she has not missed them. One of my Elves borrowed them. You will find out that for

Yrs F.C.

Tyle dzieci ma identyczne imiona, że na każdej paczce umieszczaliśmy także adres.

— Zamierzam ustanowić w tym roku rekord szybkości — oznajmił Niedźwiedź Polarny — i załatwić sprawy Świętego Mikołaja tak, byśmy sami również mogli świętować Gwiazdkę.

Wszyscy pracowaliśmy bardzo ciężko i zapewne zaskoczy Was wiadomość, że do soboty (19 grudnia) skończyliśmy pakować i numerować wszystkie paczki. Wówczas Niedźwiedź Polarny oznajmił:

— Jestem wykończony. Idę wziąć gorącą kąpiel i położyć się wcześniej do łóżka.

Zgadujecie pewnie, co się stało? Około dziesiątej wieczorem Święty Mikołaj sprawdzał właśnie resztę paczek w Magazynie Angielskim, gdy z sufitu zaczęła ściekać woda i zalała wszystko. Wkrótce była już głęboka na dwadzieścia centymetrów. Niedźwiedź Polarny wszedł do wanny, odkręcił oba krany i zasnął, łapą zatykając odpływ. Spał tak dwie godziny, nim go obudziliśmy.

Święty Mikołaj był NAPRAWDĘ WŚCIEKŁY, lecz Niedźwiedź Polarny powiedział tylko:

— Miałem piękny sen. Śniło mi się, że nurkuję z lodowca i chwytam foki.

Później, gdy zobaczył, jakie szkody wyrządził, dodał:

— Jedno trzeba powiedzieć. Co prawda dzieci z ulicy Biegunowej w Oksfordzie (zawsze Was tak nazywa) mogą stracić część prezentów, ale przynajmniej dostaną w tym roku naprawdę zajmujący list. Znają się na żartach, nawet jeśli żadne z was się na nich nie pozna.

Te słowa jeszcze bardziej rozzłościły Świętego Mikołaja, toteż Niedźwiedź Polarny poradził:

— Narysuj im obrazek i spytaj, czy to zabawne, czy nie.

Tak też Święty Mikołaj zrobił, lecz kiedy posprzątaliśmy już wszystko i przepakowaliśmy angielskie prezenty, sam zaczął uważać, że to śmieszne (choć bardzo irytujące). Zdążyliśmy akurat na czas. Wszyscy jesteśmy bardzo zmęczeni, więc wybaczcie mi niewyraźne pismo.

Wasz Ilbereth, sekretarz Świętego Mikołaja

Bardzo przepraszam. Byłem zajenty. Nie mogę znaleźć alfabeta. Poszukam po świętach i wyślem. Wasz Niedźwiedź Polarny.

W liście znajdziecie dwa zdjęcia. Oddajcie je waszej Matce. Mam nadzieję, że ich nie szukała. Pożyczył je jeden z moich elfów. Sami dowiecie się po co.

Wasz Święty Mikołaj

Znalazłem. Przesyłam Wam kopię. Jeśli nie chcecie, nie musicie zamalowywać ciemnych punktów na czarno. Pisanie trwa dość dugo, ale wygląda wytwornie.

Wciąż zajenty. Święty Mikołaj mówi, że będę mógł się wykąpać dopiero w przyszłym roku.

Serdeczności dla Was obojga, bo znacie się na żartach.

Niedźwiedź Polarny

Okazałem się naprawdę w gorącej wodzie kąpany, prawda? Ha, ha!

N.P.

I HAVE FOUND IT. I SEND YOU
A COPY. YOU NEEDNT. FILL IN
BLACK PARTS IF YOU DONT
WANT TO. IT TAKES RATHER
LONG TO RITE BUT I THINK
IT IS RATHER CLEVER.
    STILL BIZY. F.C SEZ I CANT
HAVE A BATH TILL NEXT YEAR.
LOVE TOU YO BOTH BICAUSE
YOU SEE JOKES
                    P. B.

    I GOT INTO HOT WATER
DIDNT I?   HA! HA!   P.B.

150

GOBLIN ALPHABET

151

1936

Wanted: Dolls 70,000

Noahs Arks 8000
Engines 50,000
Books / Girls 80000 or more
Boys 90000

Crackers 10000 dozen boxes
Chalks 20000 boxes
Paint Boxes 2000 boxes
Dinky toys — send to makers for
all new sorts

Pencils 10,000,000
Bears 60000
Chocolates ?

In Stores — enough probably of usual
things. We seem a bit short of
soldiers, farm things, railway lines
woolly animals, toy bricks, and
hornby trucks

NB. Send messengers round to makers
to see if any good new things this
year.

Nov. 2nd
19/36

152

2 listopada 1936 roku

Zebrać: Lalek 70 000
       Arek Noego 8000
       Lokomotyw 50 000
       Książek: Dla dziewcząt 80 000 lub więcej
            Dla chłopców 90 000
       Petard 10 000 tuzinów pudełek
       Kredy 20 000 pudełek
       Pudełek farb 2000 pudełek
       Modeli samochodzików: posłać do producentów po
         wszystkie nowe
       Ołówków 10 000 000
       Misiów 60 000
       Czekoladek ?

Zwykłych rzeczy powinno być dosyć w magazynach. Zaczyna nam brakować żołnierzyków, figurek zwierząt gospodarskich, torów dla kolejek, puchatych zwierzaków, klocków i modeli ciężarówek.

NP. Roześlij posłańców do fabryk, żeby sprawdzili, czy w tym roku pojawiły się jakieś dobre nowości.

To tylko fragment notatek Ś.M. Nie mogłem znaleźć czystego papieru. Zamknoł swój gabinet na klucz.

Dom na Skale,
Biegun Północny
Boże Narodzenie 1937 roku

Moi drodzy Christopherze, Priscillo i inni starzy przyjaciele
z Oksfordu! I znów tu jesteśmy!

Oczywiście ja zawsze tu jestem (kiedy nie podróżuję), wiecie jednak, o co mi chodzi. Znów mamy święta. Minęło już
chyba siedemnaście lat, odkąd do Was pisuję. Ciekawe, czy
wciąż macie wszystkie moje listy. Ja nie zdołałem zachować
Waszych, ale mam jeszcze po kilka z każdego roku.

W tym roku poważnie się wystraszyliśmy. Nie dostaliśmy
od Was żadnych listów. A potem, pewnego dnia na początku
grudnia, wysłałem posłańca, który niegdyś często odwiedzał
Oksford, lecz ostatnio od dawna tam nie bywał. Po powrocie
oznajmił: „Ich dom stoi pusty. Wszystko sprzedane". Bałem
się, że coś się stało. Może wyjechaliście wszyscy do szkoły
w innym mieście, a wasi rodzice się przeprowadzili? Oczywiście, teraz już wiem: posłaniec odwiedził wasz stary dom,
stojący obok nowego! Skarżył się, że okna były pozamykane,
a kominy zatkane.

Bardzo się ucieszyłem, gdy przyszedł pierwszy list Priscilli, a także dwa miłe listy od Ciebie, Christopherze, pełne

Cliff House
North Pole
o Christmas 1937 o

My dear Christopher and
Priscilla, and other old friends
at 20 Northmoor Road, Oxford: here we are again!
Of course I am always here, (when not travelling) but you know what I mean.
Christmas again. I believe it is 17 years since I started to write to you. I wonder
if you have still got all my letters? I have not been able to keep quite all yours, but
I have got some from every year. We had quite a fright this year: no letters came from
you. Then one day early in December I sent a messenger, who used to go to Oxford a lot
but had not been there for a long while, and he said: "Their house is
empty and everything is sold." I was afraid something had happened, or that you had
all gone to school or some other town, and your Father and Mother had
moved. Of course, I know now; the messenger had been to your old house next
door! He complained that all the windows were shut and the chimneys all
blocked up. I was very glad indeed to get Priscilla's first letter, and your
two nice letters, and useful lists and hints, since Christopher came back.
I quite understand that School makes it difficult for you to write like you
used. And of course I have new children coming on my lists each year
so that I don't get less busy.

Tell your father I am sorry about his eyes and throat: I once had my eyes
very bad from snow-blindness, which comes from looking at sunlit snow. But
it got better. I hope Priscilla and your Mother and everyone else will be well on
Dec.25. I am afraid I have not had any time to draw you a picture this year:
You see I strained my hand moving heavy boxes in the "cellars" (ha ha
this; you see I have read your letter In November, and could not start

my letters until later than usual, and my hand still gets tired quickly. But
Ilbereth — one of the cleverest Elves who took on as a I see Ietangret
long ago — is becoming very good. He can write several alphabets now —
Arctic, Latin (that is ordinary European like you use), Greek, Russian, Runes,
and of course Elvish. His writing is a bit thin and slanting — he
has a very slender hand — and his drawing a bit scratchy, I think. He
has done you what he calls a picture diary. I hope it will do. He
won't use paints he says he's a secretary and so only uses ink (and pencil).
He is going to finish this letter for me as I have to do some others. So I
will now send you lots of love, & I do hope that I have chosen the best things
out of your suggestion lists. I was going to send Hobbits' — I am
sending away loads (mostly second editions) which I sent for only
a few days ago — but I thought you would have lots, so I am sending
another Oxford fairy-story. Lots and Lots of Love. Father Christmas

° 1937 °

Dear Children: I am Ilbereth. I have written to you before. I am finishing for
Father Christmas. Shall I tell you about my pictures? Polar Bear and Valko
tukka and Paksu are always lazy after Christmas, or rather after the St Stephen's
Day party. F.C. is ringing for breakfast in vain. Another day when P.B., as
usual, was late Paksu threw a bath-sponge full of icy water on his face. P.B. chased

him all round the house and round the garden and then forgave him, because he had
not caught Paksu, but had found a huge appetite. We had terrible weather at the end
of winter and actually had rain. We could not go out for days. I have drawn P.B.
and his nephews when they did venture out. Paksu and V. have never gone away.
They like it so much that they have begged to stay. It was much too warm at the
North Pole this year. A large lake formed at the bottom of the Cliff, and left the N.
Pole standing on an island. I have drawn a view looking South, so the Cliff is
on the other side. It was about midsummer. The N.P.B. his nephews and lots of
Polar cubs used to come and bathe. Also seals. N.P.B. took to trying to paddle a boat
or canoe, but he fell in so often that the seals thought he liked it, and used to get
under the boat and tip it up. That made him annoyed. The sport did not last long
as the water froze again early in August. Then we began to begin to think of this
Christmas. In my picture Fr Christmas is dividing up the lists and giving me
my special lot — you are in it, that is why your numbers are on the board. N.P.B.
of course always pretends to be managing everything: that is why he is pointing,
but I am really listening to F.C. and I am saluting him not N.P.B.

RUDE LITTLE ERRAND BOY

156

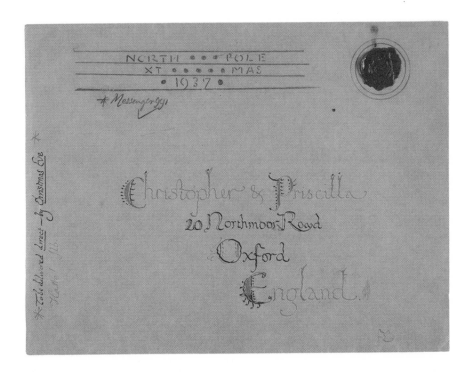

użytecznych spisów prezentów i sugestii. Dobrze, że wróciłeś.
Doskonale rozumiem, że w szkole trudno Ci pisać.

I oczywiście, na moje listy co roku trafiają nowe dzieci,
toteż cały czas mam aż nadto zajęć.

Powiedzcie ojcu, że bardzo mi przykro z powodu jego oczu
i gardła. Kiedyś także miałem poważne kłopoty z oczami. To
była śnieżna ślepota, powstająca od patrzenia na błyszczący
od słońca śnieg. Potem jednak mi się polepszyło. Mam nadzieję, że Priscilla, a także Wasza matka i wszyscy inni będą
już zdrowi w Boże Narodzenie. W tym roku nie miałem czasu
i nie narysowałem Wam żadnego obrazka. Zwichnąłem sobie
rękę, przestawiając w listopadzie ciężkie pudła w piwnicy,
i zabrałem się za list znacznie później niż zwykle. Moja ręka

wciąż jeszcze bardzo szybko się męczy, lecz Ilbereth — jeden z najbystrzejszych elfów, którego niedawno zatrudniłem jako sekretarza — radzi sobie coraz lepiej. Potrafi już używać kilkunastu alfabetów — arktycznego, łacińskiego (to ten, którego używa się u Was w Europie), greckiego, rosyjskiego, runicznego i oczywiście elfickiego. Jego pismo jest nieco zbyt wąskie i pochyłe — pisze bardzo oszczędnie — a rysunki bardziej przypominają szkice. Nie chce używać farb — twierdzi, że jako sekretarz posługuje się wyłącznie atramentem (i ołówkiem). Dokończy za mnie ten list, bo ja muszę się zająć następnymi.

Przesyłam Wam mnóstwo uścisków. Mam nadzieję, że spośród wszystkich propozycji prezentów wybrałem te najlepsze. Zamierzałem wysłać wam *Hobbita* — rozsyłam go całe mnóstwo (głównie drugie wydanie; sprowadziłem je zaledwie kilka dni temu). Pomyślałem jednak, że na pewno macie kilka sztuk, toteż zamiast tego wybrałem kolejną oksfordzką baśń.

Z wyrazami miłości, Święty Mikołaj

Kochane Dzieci!

To ja, Ilbereth. Pisałem już do Was. Kończę ten list za Świętego Mikołaja. Opowiedzieć wam o moich rysunkach? Niedźwiedź Polarny, Valkotukka i Paksu zawsze bezwstydnie leniuchują po świętach, czy raczej po drugim dniu świąt i przyjęciu. Święty Mikołaj na próżno domaga się śniadania. Innego dnia, gdy Niedźwiedź Polarny spóźnił się, jak ZWYKLE, **nieprawda!**

Paksu rzucił mu prosto w pysk gąbkę namoczoną w lodowatej wodzie. Niedźwiedź Polarny ganiał go po całym domu i ogrodzie. Potem mu wybaczył, bo choć nie złapał siostrzeńca, nabrał ogromnego apetytu.

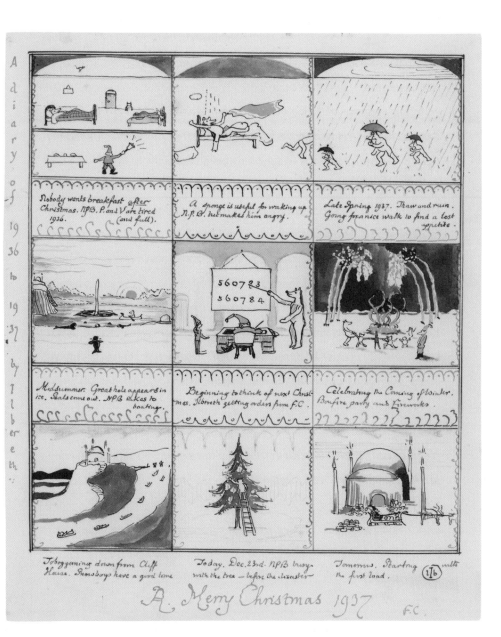

Pod koniec zimy pogoda bardzo się zepsuła. Spadł nawet DESZCZ. Całymi dniami nie mogliśmy wychodzić z domu. Narysowałem Wam Niedźwiedzia Polarnego i jego siostrzeńców po tym, jak raz spróbowali. Paksu i Valkotukka zamieszkali u nas na stałe. Tak bardzo im się tu spodobało, że błagali, by ich nie odsyłać.

W tym roku na Biegunie Północnym było stanowczo zbyt ciepło. U stóp Skały utworzyło się spore jeziorko. Biegun Północny stał pośrodku na małej wyspie. Narysowałem widok z północy, toteż Skała jest po drugiej stronie. Działo się to w lecie. Niedźwiedź Polarny, jego siostrzeńcy i całe mnóstwo Polarnych Niedźwiadków z radością kąpali się w jeziorku. Foki także. Niedźwiedź Polarny próbował pływać łódką czy kajakiem, ale tak często wpadał do wody, że foki uznały, iż to lubi, i zaczęły wywracać mu łódkę. Bardzo go to denerwowało.

Zabawy nie trwały długo, bo na początku sierpnia woda zamarzła.

Wtedy zaczęliśmy myśleć o świętach. Na moim obrazku Święty Mikołaj rozdziela listy prezentów i wręcza mi te najważniejsze — między innymi wasze, dlatego na tablicy widać wasze numery.

Niedźwiedź Polarny jak zwykle udaje, że sam wszystkim kieruje, dlatego właśnie pokazuje łapą, ale ja tak naprawdę słucham Świętego Mikołaja. To jego pozdrawiam, nie Niedźwiedzia Polarnego.

Bezczelny chłopiec na posyłki.

AND BETTER!

We had a glorious bonfire and fireworks to celebrate the Coming of Winter and the beginning of real 'Preparations'. The Snow came down very thick in November and the elves and snowboys had several tobogganing half-holidays. The polar cubs were not good at it. They fell off, and most of them took to rolling or sliding down just on themselves. Today ——— but this is the best bit.

I had just finished my picture, or I might have drawn it differently. P.B. was being allowed to decorate a big tree in the garden, all by himself and a ladder. Suddenly we heard terrible growly-squeaky noises. We rushed out to find P.B. hanging in the tree himself! 'You are not a decoration' said F.C. 'Anyway I am alright' he shouted. He was. We threw a bucket of water over him. Which spoilt a lot of the decorations, but saved his fur. The silly old thing had rested the ladder against a branch (instead of the trunk of the tree). Then he thought, 'I will just light the candles to see if they are working' although he was told not to. So he climbed to the tip of the ladder with a taper. Just then the branch cracked, the ladder slipped on the snow, and P.B. fell into the tree and caught on some wire; and his fur got caught on fire. Luckily he was rather damp or he might have fizzled. I wonder if roast Polar is good to eat? The last picture is imaginary and not very good. But I hope it will come true. I will if P.B. behaves. I hope you can read my writing. I try to write like dear old F.C. (without the trembles), but I cannot do so well. Elves write Elvish better. [———] that is some — but F.C. says I write even that too spidery and you would never read it : it is any. A very merry Christmas to you all. Love Ilbereth.

(margin left, top to bottom:) NBWKER

(margin left:) POOR JOKE

← NOT AS GOOD AS WELL SPANKED AND FRIED ELF

That is Runick. NPB A big hug and lots of love. Enormous thanks for letters. I don't get many, though I work so hard. I am practising new writing with lovely thick pen. Quicker than Arctick. I invented it. ILBEREAH IS CHEKY. HOW ARE THE BINGOS? A MERRY CHRISTMAS NPoB

(bottom left:) Vaksu's name → mark

Nadejście zimy uczciliśmy, rozpalając wspaniałe ognisko i wystrzeliwując fajerwerki. To był początek prawdziwych „Przygotowań". W listopadzie spadł gęsty śnieg. Elfy i Bałwanki często urządzały sobie wyścigi saneczkowe.

Niedźwiadki Polarne nie radziły sobie z tym zbyt dobrze. Cały czas spadały. Wkrótce niemal wszystkie zaczęły zjeżdżać bez sanek. Tak zjeżdżają dzisiaj — to dobrze; bo skończyłem już obrazek, teraz musiałbym narysować go inaczej.

I lepiej!

Święty Mikołaj pozwolił Niedźwiedziowi Polarnemu, by sam przystroił wielką choinkę w ogrodzie, posługując się drabiną. Nagle usłyszeliśmy przeraźliwy wrzask i warkot. Wybiegliśmy na dwór i ujrzeliśmy Niedźwiedzia wiszącego na choince!

—Nie jesteś ozdobą choinkową — zauważył Święty Mikołaj.

—Ale się świecę! — odkrzyknął Niedźwiedź.

I rzeczywiście. Chlusnęliśmy na niego wiadro wody, która zniszczyła wiele ozdób, lecz ocaliła jego futro. Stary głuptas

Ani jedno, ani drugie.

oparł drabinę o gałąź (zamiast o pień). Potem pomyślał: „Zapalę świeczki, by zobaczyć, czy działają", choć mu tego zabroniono. Wdrapał się na sam szczyt drabiny, trzymając w łapie zapałkę. W tym momencie gałąź pękła, drabina zsunęła się w śnieg i Niedźwiedź Polarny spadł na choinkę, gdzie zajął się udawaniem ozdóbki, podczas gdy jego futro zajęło się ogniem.

Kiepski dowcip.

Na szczęście miał wilgotną sierść, bo mógłby się spalić. Zastanawiam się, czy mięso pieczonego Polarnego Niedźwiedzia byłoby smaczne.

Nie tak smaczne, jak porządnie obity i usmażony elf.

Ostatni obrazek jest kompletnie wymyślony i nie najlepszy. Może jednak kiedyś to się spełni — całkiem prawdopodobne, jeśli Niedźwiedź Polarny będzie się dobrze zachowywał. Mam nadzieję, że zdołacie odczytać moje pismo.

Próbuję pisać jak kochany stary Święty Mikołaj (tyle że bez drżączki), ale jeszcze nie całkiem potrafię. Lepiej piszę po elficku: ꜰʸʸⁱ ᵐʸʸⁱ ꜱᵖⁱⱴᵖᵐᶜᵗ· ᵖᵒ ᵃᵒ ᵏ *Oto przykład, lecz Święty Mikołaj mówi, że nawet moje pismo elfów jest zbyt pajęcze i nie zdołacie go odcyfrować. Napisałem: „Bardzo Radosnych Świąt dla Was wszystkich!"*

Pozdrawiam
Ilbereth

ᛗᛁᛏᛏᚱᛏ **To po runicku. Ściskam i pozdrawiam serdecznie. Ogromnie dziękuję za listy. Niewiele ich dostaję, choć bardzo ciężko pracuję. Ćwiczę teraz pisanie znakomitym, grubym piórem. Idzie mi szybciej niż po arktycznemu. Sam to wynalazłem.**

Ilbereth jest beszczelny. Jak się miewają misie Bingo? Wesołych świąt!

Niedźwiedź Polarny

Dom na Skale,
Biegun Północny
Boże Narodzenie 1938 roku

Kochana Priscillo i pozostali domownicy!

Oto znów jesteśmy! Chyba już to mówiłem, ale przecież nie chcesz chyba, by co roku Gwiazdka wyglądała inaczej?

Okropnie mi przykro, że nie miałem w tym roku czasu namalować Ci dużego obrazka. Ilbereth (mój sekretarz) też nie. Zamiast tego jednak wysyłamy ci wiersz. Inne dzieci najwyraźniej lubią wiersze. Mam nadzieję, że Ty też.

Wszystkim nam strasznie przykro z powodu Christophera. Mam nadzieję, że czuje się już lepiej i będzie miał wesołe święta. Dowiedziałem się dopiero niedawno, gdy moi posłańcy, wiozący listy, wrócili z Oksfordu. Przekaż mu, żeby się rozchmurzył — i choć wyrósł już z wieku skarpet, w tym roku przyniosę mu kilka drobiazgów, między innymi mały podręcznik astronomii ze wskazówkami, jak używać teleskopu — dziękuję, że mi powiedziałaś, iż ma coś takiego. Dalibóg, ręka mi się trzęsie — mam nadzieję, że zdołasz to odczytać.

Ogromnie podobał mi się długi list od Ciebie i wszystkie zabawne rysunki. Pozdrów ode mnie swoich Bingów i pozostałą

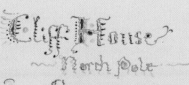

Cliff House
North Pole
Christmas 1938

My dear Priscilla and all others at your house. Here we are again! Bless me, I believe I said that before ―― but after all you don't want Christmas to be different each year, do you? I am frightfully sorry that I haven't had the time to draw any big picture this year, and Ilbereth (my secretary) has not done one either; but we are all sending you some rhymes instead. Some of my other children seem to like rhymes, so perhaps you will.

We have all been very sorry to hear about Christopher. I hope he is better, & will have a jolly Christmas. I only heard lately when my messengers & letter-collectors came back from Oxford. Tell him to cheer up ―― and although he is now growing up & leaving stockings behind, I shall bring a few things along this year. Among them is a small astronomy book which gives a few hints on the use of telescopes ―― thank you for telling me he had got one. Dear me! my hand is shaky ― I hope you can read some of this?

I loved your long letter, with all the amusing pictures. Give my love to your Bingos and all the other sixty (or more?), especially Raggles and Fraddles and Tinker and Tailor and Jubilee and Snowball. I hope you will go on writing to me for a long while yet.

Very much love to you ―― and lots for Chris ― from

Father Christmas

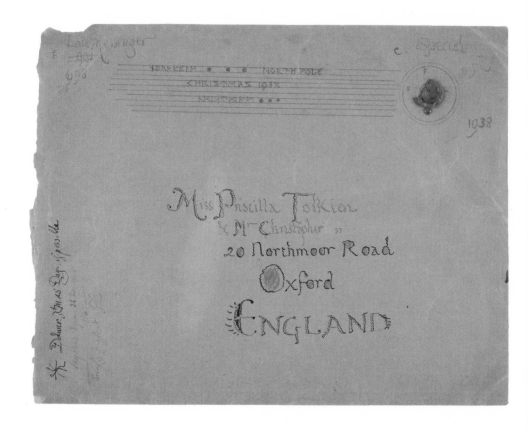

sześćdziesiątkę (a może więcej?). Zwłaszcza Ragglesów, Pred-
dleya, Tinkera, Tailora, Jubilee i Snowballa. Mam nadzieję,
że jeszcze długo będziesz do mnie pisywać.

Gorące uściski i ucałowania dla Ciebie — i dla Christophera — od Świętego Mikołaja.

Wiersz

I znowu w tym roku, kochana Priscillo,
spytam cichym szeptem, co też ci się śniło,

**Kiepski rym!
Nie wyszedł ci!**

stanę przy twym łóżku ja, Święty Mikołaj,

[Mikołaj niestety kiepsko się rymuje,

dlatego też w wierszach raczej źle się czuję,

a co gorsza, jeszcze, imiona Was, dzieci,

ciężko mi zrymować i wierszyk z nich sklecić.

(Gorzej! Słowo „wierszyk" także nie ma rymu!

Przecież nie porównam wierszyka do dymu!).

Wybacz więc poecie, kochana Priscillo,

że dziś Cię rymuję z prostym słówkiem „śniło"].

Na pewno nie wybaczy.

Jak już mówiłem —

stanę przy twym łóżku ja, Święty Mikołaj,

cicho, by ni szmerek zbudzić się nie zdołał

I jak?

Okropnie!

ze snu i szybciutko napełnię skarpetę

prezentami *(chociaż podejrzewam, że tę*

skarpetę dał ci tato — jednakże nic to

nie szkodzi).

Musiałem tu trochę pomóc Św. M. — Ilbereth

O północy pojawi się — kto?

Ja sam! I mam nadzieję, że moje prezenty

okażą się godne słodziutkiej przynęty

To mój rym.

i o nich marzyłaś. Masz już dziesięć latek,

Nie jest kalendarzem!

lecz myślę, że czasem narysujesz kwiatek

i napiszesz liścik do Mikołaja Świętego

na Biegunie, i do Misia Polarnego
(oraz do Niedźwiadków, małych i tłuściutkich
jak dwie białe kluski, słodkich i malutkich),
elfów i Bałwanków — i całego w sumie
gospodarstwa mego na mroźnym Biegunie.

Kleksy — dzieło P. i V.

Na mej liście dzieci w grudniu ułożonej
masz numer wysoki, hen u dołu strony:
pięćdziesiąt tysięcy i sześć, siedem setek,
pięć i osiemdziesiąt; nic dziwnego przeto,

Słabe!

że jestem zajęty — latek masz już dziesięć
a w tym czasie lista rozrosła się przecież —
aż dziesięć tysięcy dziewcząt (dziewcząt samych!
bez chłopaków!) do niej w sumie dopisanych
znajdziesz. I pamiętaj, odjąłem już domy,
których nie odwiedza Mikołaj zmęczony!

Myślisz pewnie sobie: Co u nich? Ciekawe,
czy wszystko szło dobrze, czy ktoś pokpił sprawę,
czy Niedźwiedź Polarny znowu coś nabroił,
czy może od zimy sam się uspokoił,
piątkę czy naganę ma ze sprawowania?
Najpierw wlazł na drzazgę — na nogach się słaniał

**Bzdura. To był ćwiek,
w dodatku zardzewiały.**

i o kulach chodził calutki listopad.
Potem w grudniu w kuchni kraty pieca dopadł,

Rhyme.

Again this year, my dear Priscilla,
when you're asleep upon your pillow;
beside your bed old Father Christmas

BAD rhyme!
that's beaten you!

The English language has no rhyme
to Father Christmas: that's why I'm
not very good at making verses.
But what I find a good deal worse is
that girls' and boys' names won't rhyme either
(and bother! either won't rhyme neither).
So please forgive me, dear Priscilla,
if I pretend you rhyme with pillow!

she won't

As I was saying— beside your bed old Father Christmas
(afraid that any creak or hiss must
wake you up) will in a twinkling
fill up your stocking. I've an inkling
that it belongs, in fact to pater—
but never mind! At twelve, or later,
he will arrive—and hopes once more
that he has chosen from his store
the things you want. You're half past nine;
but still I hope you'll drop a line
for some years yet, & won't forget
old Father Christmas and his Pet,
the N.P.B. (and Polar Cubs
as fat as little butter-tubs),
and snowboys and Elves—in fact the whole
of my household up near the Pole.
Upon my list, made in December,
your number is, if you remember
Fifty six thousand, seven hundred,
and eighty five. It can't be wondered
at that I am so busy, when
you think that you are nearly ten,

How's that? F.C.
OUT! P.B.

1 did it
she is not a clock!

blots by P. & V.

weak!

Had to help Fr Xmas
here   Ilbereth

169

and in that time my list has grown
by quite ten thousand girls alone,
even when I've subtracted all
the houses where I no longer call!

You all will wonder what's the news;
if all has gone well, and if not who's
to blame; and whether Polar Bear
has earned a mark good, bad, or fair
for his behaviour since last winter.
Well — first he trod upon a splinter,
and went on crutches in November;
and then one cold day in December
he burnt his nose & I singed his paws
upon the kitchen grate, because
without the help of tongs he tried
to roast hot chestnuts. 'Wow!' he cried,
and used a pound of butter (best)
to cure the burns. He would not rest,
but on the twenty-third he went
and climbed up on the roof. He meant
to clear the snow away that choked
his chimney up — of course he poked
his legs right through the tiles, & snow
in tons fell on his bed below.
He has broken saucers, cups, and plates;
and eaten lots of chocolates;
he's dropped large boxes on my toes,
and trodden tin-soldiers flat in rows;
he's over-wound engines and broken springs,
& mixed up different children's things;
he's thumbed new books and burst balloons
& scribbled lots of smudgy Runes
on my best paper, and wiped his feet
on scarves and hankies folded neat —
And yet he has been, on the whole,
a very kind and willing soul.
He's fetched and carried, counted, packed,
and for a week has never slacked:
he's climbed the cellar-stairs at least
five thousand times — the Dear Old Beast!

just rhyming
nonsens : it was
a nail — misty too

I never did!

I was not given a
chance

you need not
believe all this!

you need

hear! hear!

Trish you wouldn't
scribble on my nice page
D. P.

Setting out

nos i łapy sparzył o metal boleśnie,
bo bez mej pomocy próbował przedwcześnie
piec w ogniu kasztany. Bez szufli! Bez szczypiec!
Wrzasnął i odskoczył, by znów się nie przypiec.

Nieprawda!

Zużył też funt masła (mego najlepszego!),
by nos posmarować. I jeszcze do tego
nawet nie odpoczął!

Nie daliście mi szansy.

A w przeddzień Wigilii
na dach wlazł po cichu, aby w jednej chwili
śnieg uprzątnąć ciężki, co komin zapychał.
Oczywiście wkrótce po pas się zasypał
i dziurę wybił w dachu. Śniegu całe tony
wpadły do pokoju, na łóżku czerwonym
tworząc zaspę. Do tego stłukł całą zastawę,
kubki, miski, spodki; pożarł czekoladę,
zrzucił mi na nogi paczki z górnej półki,
potem żołnierzyków zdeptał całe pułki;

Nie wierz w to!

Wierz!

przekręcał sprężyny, psuł lokomotywy
i wśród mych prezentów bałagan straszliwy
zrobił. Zniszczył książki, rozwalił balony,
na złotym papierze run nagryzmolonych
zostawił mi mnóstwo. Wycierał też nogi
w chustki i szaliki. Zadeptał podłogi —
paskudnie nabroił, ale jednak w sumie

najwięcej mi pomógł na całym Biegunie.

Nosił i podawał, liczył i pakował,

przez tydzień ni chwili dla mnie nie żałował.

O proszę!

Mógłbyś nie bazgrać po moim wierszyku?

Tysiąc razy właził na schody do dziś.

Więcej — dziesięć tysięcy! Co za Miś!

Paksu Cię pozdrawia, no i Valkotukka.

Choć lata mijają, oni wciąż są tutaj,

na oko nie starsi, lecz nieco powagi

nabrali, i więcej niż szczyptę rozwagi.

A co do GOBLINÓW, mam dobre nowiny:

rok cały w pobliżu nie było ni krzyny

ich śladów. Podobno poszły na południe;

nowe sieci jaskiń kopią tam i studnie,

wracają do dawnych swych siedzib na świecie,

znów wzrastają w siłę i straszyć chcą dzieci.

Nie lękaj się jednak! Takiego przybłędę

bez trudu wypłoszę, gdy do was przybędę.

Boże Narodzenie　　　*Post scriptum od Ilberetha*

Minęła Wigilia, znów nadeszły święta,

nasz Niedźwiedź Polarny ten dzień popamięta!

Podobno funt orzechów wyjadł z łupinami!

Cóż, Priscillo, rzec mogę — mówiąc między nami,

to do niego podobne. Co za niedźwiedzisko!

Lecz, jak pewnie zgadujesz, to jeszcze nie wszystko:

Niedźwiedź przejadł się strasznie, bez opamiętania

mieszając wszystkie swoje ulubione dania,
miody z marynatami, dżem z pieczonym drobiem,
świeżą szynkę z syropem. Uczta co się zowie!
Tygodnia trzeba będzie, by jak dawniej skakał
szczególnie po mieszance przeróżnych przysmaków:
Słodki pudding śliwkowy z kiełbasą i mięsem
oraz bitą śmietaną połknął jednym kęsem!
A kiedy zjadł już wszystko, to stanął na głowie!
Ma szczęście, że wciąż żyje – szczęście co się zowie!

Gadaj DO WOLI
Brzuch mnie nie boli,
mogę swawolić.

Akurat!

Mięsa nie jadam,
tylko słodkości,
dlatego jestem
słodki do kości,
a ty zazdrościsz
i wciąż się złościsz,
ty elfie rudy,
jak kłamstwo chudy!   *Chciał powiedzieć gruby.*
Do nóżek padam!   **Wcale nie, bo nie jesteś gruby,**
                tylko chudy i niemądry.

Znasz moich przyjaciół zbyt dobrze, by sądzić
(chociaż na papierze mogliby pobłądzić),
że się pokłócili. To tylko zabawa.
Rok minął spokojnie — gdyby nie ta sprawa
z Niedźwiedziem i ćwiekiem, byłby lepszy jeszcze.

sends love
Paksu and Valkotukka —
They are still with me, & they don't look a
year older, but they're just a bit
more wise, & have a pinch more wit.

The GOBLINS, you'll be glad to hear,
have not been seen at all this year,
not near the Pole. But I am told,
they're moving South, and getting bold,
& coming back to many lands,
and making with their wicked hands
new mines & caves. But do not fear!
They'll hide away, when I appear.

Christmas Day. Postscript by Ilbereth.

Now Christmas Day has come round again —
and poor N. P. B. has got a bad pain!
They say he's swallowed a couple of pounds
of nuts without cracking the shells! It sounds
a Polaurish sort of thing to do —
But that isn't all, between me and you:
he's eaten a ton of various goods
and recklessly mixed all his favourite foods,
honey with ham and turkey with treacle,
and pickles with milk. I think that a week'll
be needed to put the old bear on his feet.
And I mustn't forget his particular treat:
plum-pudding with sausages and turkish delight
covered with cream and devoured at a bite!
And after this dish he stood on his head ———
it's rather a wonder the poor fellow's not dead!

Absolute ROT:
I have <u>not</u> got
a pain in my pot.
I do <u>not</u> eat   *Rude felln!*
turkey or meat:
I stick to the sweet.

**Which is why
(as all know) I
am so sweet myself,
you thinuous elf!
Good by!**

He means fatuous
*no I don't   you're
not fat but
thin and silly.*

You know my friends too well to think
~~that~~ (al & though they're rather rude with ink)
that there are really squirrels here!
We've had a very jolly year
(except for P.B.s nasty nail);
but now this rhyme must catch the Mail —
a special messenger must go,
inspite of thickly falling snow,
or else this won't get down to you
on Christmas day. It's half past two!
We've quite a ton of crackers still
to pull, and glasses still to fill!
Our love to you on this Noel —
and till the next one, fare you well!

Father Christmas.

F.F.

Ilbereth.

P ↑ ∨

Teraz jednak pozwól, że wiersz mój dopieszczę
I wyślę specjalnym kurierem do Ciebie.
Śnieg spadł u nas gęsty i chmury na niebie!
Jest już pół do trzeciej, coraz bliższe święta.
O wielu prezentach wciąż muszę pamiętać!
Jedzmy więc i pijmy! Najlepsze życzenia!
I do następnego za rok zobaczenia!

Święty Mikołaj
Niedźwiedź Polarny
Ilbereth
Paksu i Valkotukka

Moja kochana P,

to ostatnia książeczka do kolorowania z obrazkami Beatrix Potter, jaką udało mi się zdobyć. Chyba już ich nie robią. Wysyłam ci ją z wyrazami miłości.

Ś.M.

Drugi dzień Świąt, 1938, Dzień Świętego Szczepana
Właśnie znalazłem książeczkę — i mój list — niewysłane! Bardzo to irytujące. Ogromnie przepraszam. Ale może miło będzie coś dostać też po Świętach?

Nie moja wina! NP   *Moja też nie. Ilbereth.*
ŚM zostawił je na biurku pod papierem do pakowania

My dear P.

This is the last Beatrix Potter painting book I have got. I don't believe they are making any more. I am sending it to you with love.

FR

Boxing Day 1938   On the Feast of S. Stephen

I have just found it — and my letter. Never sent off. Most annoying. Very sorry. But perhaps something after Christmas will be rather nice?

not my fault! PB   Nor mine. Nb.

K left them on his desk covered with wrapping paper

Dom na Skale,
BIEGUN PÓŁNOCNY
24 grudnia 1939 roku

Kochana Priscillo!

Cieszę się, że mimo licznych zajęć zdołałaś napisać do mnie dwa listy. Mam nadzieję, że rodzina Bingów będzie miała radosne święta i zachowywała się przyzwoicie. Powiedz Billy'emu — tak przecież nazywa się ojciec, prawda? — by się nie złościł. Nie wolno im się kłócić o ciasteczka, które wysyłam.

Obawiam się, że Basil nie dotrze — nie mam już żadnych małych Bingów! Ale wysyłam ci śliczną czyściutką ciocię GILLY (to skrót od Juliania), która, mam nadzieję, przypilnuje Milly, albo, jeśli ta się nie poprawi, zajmie jej miejsce. Liczę, że pozostałe rzeczy są takie, o jakie ci chodziło.

Jestem w tym roku bardzo zajęty. Wszystko idzie źle przez tę okropną wojnę. Wielu moich posłańców nie wróciło. Nie zdołałem namalować Ci zbyt ładnego obrazka. Miał przedstawiać mnie samego, niosącego prezenty nową ścieżką wiodącą do szopy na sanie. Przodem idzie Paksu i niesie pochodnię. Wygląda na okropnie zadowolonego z siebie (jak zwykle). Widać też kawałek (wystarczający) Niedźwiedzia Polarnego dreptającego z tyłu. On, oczywiście, niczego nie niesie.

Cliff House

NORTH POLE

December 24th.   1939

My dear Priscilla

I am glad you managed to send me two letters although you have been rather busy working. I hope your Bingo family will have a jolly Christmas, & behave themselves. Tell Billy — is not that the father's name? — not to be so cross. They are not to quarrel over the crackers I am sending.

I am afraid there is no Basil coming. I have not got any small Bingos left. But I am sending a lovely clean aunt GILLY (which is short for Juliana) who will keep Milly in order I hope, or take her place if she does not improve. I hope all the other things are that you want.

I am very busy and things are very difficult this year owing to this horrible war. Many of my messengers have never come back. I haven't been able to do you a very nice picture this year. It is supposed to show me camping things down our new path to the sleigh-sheds

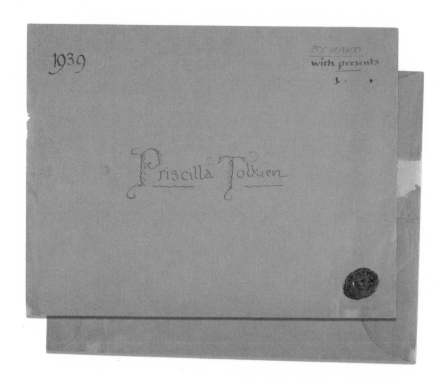

W tym roku nie mieliśmy żadnych przygód. Nie wydarzyło się też nic zabawnego. To dlatego, że Niedźwiedź Polarny w żaden sposób nam nie „pomógł", jak to sam nazywa.

BREDNIE!

Nie był wcale bardziej leniwy niż zwykle, ale nie czuł się dobrze. W listopadzie zjadł rybę, która mu zaszkodziła. Baliśmy się, że będzie musiał pójść do szpitala na Grenlandii. Jednak po dwóch tygodniach picia wyłącznie ciepłej wody wyrzucił nagle przez okno dzbanek i szklankę i postanowił poczuć się lepiej.

Sam narysował drzewa na moim obrazku. Obawiam się, że nie są najlepsze.

Paksu is in front with a torch looking most frightfully pleased with himself (as usual). There is just a glimpse (quite enough) of P. B. strolling along behind. He is of course carrying nothing.

There have been no adventures here, and nothing funny has happened — and that is because P. B. has not done hardly anything "to help" as he calls it, this year. I don't think he has been lazier than usual, but he has been not at all well. He ate some fish that disagreed with him last November, and I was afraid he might have to go to hospital in Greenland. But after living only on warm water for a fortnight he suddenly threw the glass and jug out of the window and decided to get better.

He drew the trees in the picture. & I am afraid they are not very good. They look more like umbrellas! & he sends love to you and all your bears. "Why don't you have Polar Cubs instead of Bingo's & Koalas?" he says.

Give my love to Christopher and Michael & and to John when you next write.

LOVE
from.
Father Christmas

!
ROT

BEST
PART
OF
IT

∨WHY
NOT?
PB

Najładniejsze ze wszystkiego

Bardziej przypominają parasole! Przesyła uściski Wam i waszym niedźwiedziom. Pyta, czemu nie macie Niedźwiadków Polarnych zamiast Bingów i Koali.

Właśnie, czemu?

Pozdrów ode mnie Christophera, Michaela i Johna, gdy będziesz do nich pisać.

Z wyrazami miłości, Święty Mikołaj

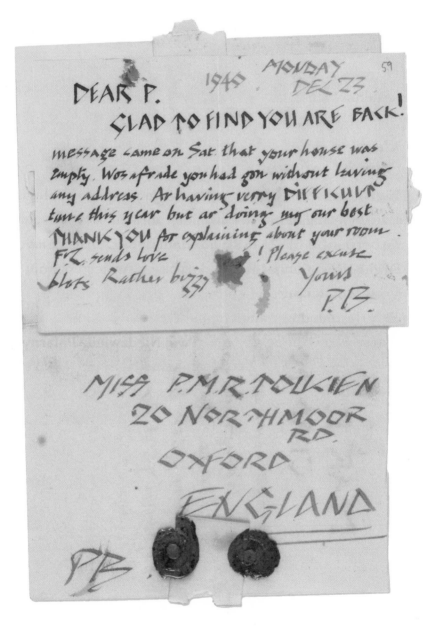

DEAR P.
1945   MONDAY
DEC 23   59

GLAD TO FIND YOU ARE BACK!

message came on Sat that your house was
empty. Was afrade you had gon without leaving
any address. Ar having verry DIFFICULT
tune this year but ar doing my our best
THANK YOU for explaining about your room
FR. sends love   ! Please excuse
blots Rather bizzy   Yours
P.B.

MISS P.M.R.TOLKIEN
20 NORTHMOOR
RD.
OXFORD

ENGLAND

PB

186

23 grudnia 1940 roku

Kochana Priscillo!

UCIESZYŁA MNIE WIADOMOŚĆ O TWOIM POWROCIE.

W sobotę usłyszeliśmy, że Wasz dom jest pusty. Bałem się, że wyjechałaś, nie zostawiajonc adresu.

To był bardzo CIĘŻKI rok, ale staramy się, jak możemy.

DZIĘKUJĘ za wyjaśnienia dotyczące twojego pokoju. Święty Mikołaj przesyła pozdrowienia. Przepraszam za kleksy. Jestem dość zajenty.

Twój Niedźwiedź Polarny

Dom na Skale,
obok Bieguna Północnego
Wigilia, 1940 rok

Najdroższa Priscillo!

Piszę krótko, żeby życzyć Ci wesołych, radosnych świąt.
Pozdrów ode mnie Christophera. To dla nas ciężki rok. Przez
tę okropną wojnę nasze zapasy zabawek bardzo zmalały.

Cliff House
near N. Pole
Christmas Eve
1940

My Dearest Priscilla,

Just a short letter to wish you a very happy
Christmas. Please give my love to Christopher.
We are having rather a difficult time this year. This
horrible war is reducing all our stocks, and in so many
countries children are living far from their homes.
P.B. has had a very busy time trying to get our
address-lists corrected. I am glad you are still at home.
I wonder what you will think of my picture. "Penguins
don't live at the North Pole" you will say. I know
they don't, but we have got some all the same. What
you would call "evacuees" (I believe, not a very nice
word); except that they did not come here to escape the war,
but to find it! They had heard such stories of the
happenings up in the NORTH (including a quite
untrue story that P.B. and all the Polar Cubs had
been blown up, and that I had been captured by Goblins)
that they swam all the way here to see if they could
help me. Nearly 50 arrived. This is a picture of
P.B. dancing with their chiefs. They amuse us enorm-
ously: they don't really help much, but are always
playing funny dancing-games, and trying to imitate
the walk of P.B. and the Cubs.

189

W wielu krajach dzieci mieszkają daleko od swoich domów. Niedźwiedź Polarny bardzo się starał poprawić spisy adresów. Cieszę się, że Ty nadal mieszkasz u siebie!

Ciekaw jestem twojej opinii o moim obrazku. Pingwiny nie żyją na Biegunie Północnym, powiesz zapewne. Wiem o tym, a jednak kilka tu mamy. Można ich nazwać uchodźcami (to niezbyt ładne słowo), tyle że nie przybyły tu, aby uciec przed wojną, lecz by ją znaleźć. Nasłuchały się opowieści o wydarzeniach na Północy (między innymi kompletnie nieprawdziwej historii o tym, że Niedźwiedź Polarny i wszystkie Polarne Niedźwiadki zostały wysadzone w powietrze, a mnie porwały gobliny), toteż przypłynęły tu, by się przekonać, czy zdołają mi pomóc. Przybyło ich niemal pięćdziesiąt.

Obrazek przedstawia Niedźwiedzia Polarnego tańczącego z ich wodzami. Ogromnie nas bawią. Nie są zbyt pomocne, lecz stale urządzają sobie zabawne tańce i próbują naśladować chód Niedźwiedzia Polarnego i Niedźwiadków.

Niedźwiedź Polarny i Niedźwiadki miewają się świetnie. W tym roku były naprawdę grzeczne i prawie nie psociły.

Mam nadzieję, że dostaniesz większość rzeczy, których pragnęłaś. Bardzo mi przykro, ale zapasy kocich języczków już się skończyły. Posyłam jednak prawie wszystkie książki, o które prosiłaś. Nie zdołałem zdobyć na czas broszurek. Może tato mógłby ci je kupić? Mimo wszystko liczę, że skarpeta wyda ci się pełna!

Serdeczne ucałowania od starego przyjaciela
Świętego Mikołaja

P.B. and all the Cubs are very well. They have really been very good this year—I have hardly had time to get into any mischief.

I hope you will find most of the things that you wanted. I am very sorry that I have no "Cats Tongues" left. But I have sent nearly all the books you asked for. I could not get the pamphlet in time. Perhaps your Father could get them for you? All the same I hope your stocking will seem full?

VERY MUCH LOVE FROM YOUR
OLD FRIEND
·Father Christmas·

Dom na Skale,

obok (resztki) Bieguna Północnego

22 grudnia 1941 roku

Najdroższa Priscillo!

Jakże się cieszę, że i w tym roku nie zapomniałaś do mnie napisać. Coraz mniej dzieci przesyła mi wiadomości. To pewnie przez tę straszną wojnę. Kiedy się skończy, z pewnością wszystko się polepszy i znów będę zajęty jak dawniej. Obecnie jednak okropnie dużo ludzi straciło domy bądź je porzuciło. Połowa świata przebywa nie tam, gdzie powinna.

Nawet tutaj mieliśmy problemy, i to nie tylko z zabawkami, choć ich zapasy bardzo zmalały. Już w zeszłym roku było niedobrze, a że nie zdołałem ich uzupełnić, teraz muszę wysyłać to, co mogę, nie to, o co mnie proszą. Ale zdarzyło się coś gorszego.

Pamiętasz pewnie, że kilka lat temu mieliśmy problemy z goblinami. Sądziliśmy, że pozbyliśmy się ich na dobre, lecz jesienią doszło do kolejnego ataku, najgorszego od stuleci. Stoczyliśmy kilka bitew. Przez jakiś czas gobliny oblegały mój dom. W listopadzie zdawało się już, że go zajmą wraz z całymi zapasami, i w tym roku na całym świecie świąteczne skarpety pozostaną puste.

Cliff House
near (stump of) N. Pole
December 22nd 1941.

My Dearest Priscilla

I am so glad you did not forget to write
to me again this year. The number of children who keep up with me seems to be getting smaller.
I expect it is because of this horrible war, and that
when it is over things will improve again, and I shall
be as busy as ever. But at present so terribly
many people have lost their homes, or have
left them; half the world seems in the wrong place.
And even up here we have been having troubles. I
don't mean only with my stores: of course they
are getting low. They were already last year,
and I have not been able to fill them up, so that
I have now to send what I can instead of what is
asked for. But worse than that has happened.
I expect you remember that some years ago we had
trouble with the Goblins; and we thought we had
settled it. Well it broke out again this autumn worse
than it has been for centuries. We have had several
battles, and for a while my house was besieged. In
November it began to look likely that it would be
captured and all my goods, and that Christmas
Stockings would all remain empty all over the
world. Would not that have been a calamity?
It has not happened — and that is largely due to
the efforts of P.B. — but it was not until the
beginning of this month that I was able to

N.B
THATS
MEE!

193

THERE
WER
NO LESS
100000
000
OK.

send out any messengers! I expect the Goblins thought that with so much
war going on this was a fine chance to recapture the North. They must
have been preparing for some years; and they made a huge new tunnel which
had an _____ outlet many miles away. It was early in October that
they suddenly came out in thousands. P.B. says there were at least a million,
but that is his favourite big number. Anyhow he was still fast asleep at
the time, and I was rather drowsy myself : the weather was rather warm
for the time of the year and Christmas seemed far away. There were
only one or two elves about the place, and of course Paksu and Valkotukka (also fast asleep). The Penguins had all gone away in the spring.
Luckily Goblins cannot help yelling and beating on drums when they
mean to fight; so we all woke up in time, and got the gates and doors
barred and the windows shuttered. P.B. got on the roof and fired rockets
onto the Goblin hosts as they poured up the long reindeer-drive; but that
did not stop them for long. We were soon surrounded. I have not time to
tell you all the story. I had to blow three blasts on the great Horn (Windbeam)
It hangs over the fire-place in the hall, and if I have not told you about it before
its because I have not had to blow it for .... (There now! I was interrupted
and its now Christmas Eve, and I don't know when I shall get finished!)
— for over I hundred years : its sound carries as far as the North Wind blows.
All the same it was three whole days before help came: snowboys, polarbears, and
hundreds and hundreds of elves. They came up behind the Goblins ; and P.B.
(really awake this time) rushed out with a blazing branch off the fire in each
paw. He must have killed dozens of Goblins (he says a million). But there
was a big battle down in the plain near the N. Pole in November, in which
the Goblins brought hundreds of new companies out of their tunnels.
We were driven back to the Cliff, and it was not until P.B. and a party
of his younger relatives crept out by night, and blew up the entrance to
the new tunnels with nearly 100 lbs of gunpowder that we got the better
of them — for the present. But bang went all the stuff for making
fireworks and crackers (the cracking-part) for some years. The N. Pole
cracked and fell over (for the second time), and we have not yet had time
to mend it. P.B. is rather a hero (I hope he does not think so himself)
But of course he is a very MAGICAL animal really, and Goblins
can't do much to him, when he is awake and angry. I have seen their
arrows bouncing off him and breaking. Well, that will give you
some idea of events, and you will understand why I have not had

I DO!

N.B. →

Cóż to by była za katastrofa?! Na szczęście do niej nie doszło. W znacznej mierze dzięki wysiłkom Niedźwiedzia Polarnego,

Uwaga! To jaa!

lecz dopiero na początku tego miesiąca mogłem rozesłać pierwszych posłańców. Przypuszczam, iż gobliny uznały, że wojna na świecie daje im szansę zdobycia Północy. Zapewne szykowały się do tego od lat. Wykopały nowy, wielki tunel, z wejściem oddalonym o wiele mil stąd.

Na początku października nagle wysypały się z niego tysiące goblinów. Niedźwiedź Polarny twierdzi, że był ich co najmniej milion, ale to jego ulubiona wielka liczba.

Było co najmiej sto milionów.

W tym czasie Niedźwiedź wciąż smacznie spał. Ja także nie otrząsnąłem się z senności. Było ciepło jak na tę porę roku i święta zdawały się bardzo odległe. W domu pozostało tylko parę elfów oraz oczywiście Paksu i Valkotukka (także pogrążone we śnie). Pingwiny odpłynęły wiosną.

Na szczęście gobliny, szykując się do walki, nie umieją powstrzymać się od wrzasków i walenia w bębny. Zdążyliśmy się więc obudzić, pozamykać bramy i drzwi i zatrzasnąć okiennice. Niedźwiedź Polarny wdrapał się na dach i zaczął wystrzeliwać rakiety wprost w szeregi goblinów maszerujących starym podjazdem dla reniferów. To jednak powstrzymało je tylko na chwilę. Wkrótce zostaliśmy otoczeni.

Nie mam czasu na opowiadanie całej historii. Musiałem trzykrotnie zadąć w wielki Róg (Podmuch Wiatru). Wisi w holu nad kominkiem, a nie wspominałem Ci o nim wcześniej, bo nie musiałem go używać od ponad... (I proszę: przerwano mi i jest już Wigilia, a ja nie wiem, kiedy uda mi się dokończyć ten list) ...czterystu lat. Jego dźwięk niesie się wszędzie tam, gdzie dociera Północny Wiatr. Mimo wszystko upłynęły całe trzy dni, nim nadeszła pomoc: Bałwanki, niedźwiedzie polarne i setki, tysiące elfów.

Zaatakowali gobliny od tyłu. Niedźwiedź Polarny (na dobre już obudzony) wybiegł z domu z płonącymi szczapami z ogniska w obu łapach. Zabił kilka tuzinów goblinów (on mówi, że milion).

W listopadzie na równinie w pobliżu Bieguna Północnego odbyła się wielka bitwa. Gobliny sprowadziły tunelami setki nowych oddziałów. Zepchnęły nas aż pod Skałę. Dopiero gdy Niedźwiedź Polarny wraz z grupą młodszych krewnych przekradł się nocą i wysadził wejście nowych tuneli niemal pięćdziesięcioma kilogramami prochu, zdołaliśmy je odeprzeć — na razie.

Niestety, w powietrze wyleciały kilkuletnie zapasy prochu do robienia fajerwerków i kapiszonów. Biegun Północny pękł i ułamał się (już po raz drugi). Jak dotąd nie mieliśmy czasu, by go naprawić. Niedźwiedź Polarny uważany jest za bohatera (mam nadzieję, że sam tak o sobie nie myśli).

MYŚLĘ!

Ale też jest on MAGICZNYM zwierzęciem

Tak jest.

i gobliny nie mogą go skrzywdzić, jeśli tylko naprawdę się rozzłości. Widziałem, jak ich strzały łamały się i odbijały od niego.

time to draw a picture this year — rather a pity, because there has been such exciting things to draw — and why I have not been able to collect the usual things for you, or even the very few that you asked for.

I am told that nearly all the Alison Uttley books have been burnt, and I could not find one of 'Moldy Warp'. I must try and get one for next time. I am sending you a few other books, which I hope you will like. There is not a great deal else, but I send you very much love.

I like to hear about your B. Bingo, but really I think he is too old and important to hang up stockings! But P.B. seems to feel that any kind of bear is a relation. And he said to me "Leave it to me, old man (that I am afraid is what he often calls me): I will pack a perfectly beautiful selection for his Polrness (yes, Polrness!)". So I shall try and bring this beautiful selection along: what it is, I don't know!

VERY MUCH LOVE FROM
your old friends

FATHER
CHRISTMAS

&

P.B.

Miss P.M.R. Tolkien
OXFORD
England.

Chyba już rozumiesz, co się tu działo i dlaczego nie miałem czasu, by w tym roku namalować Ci obrazek — wielka szkoda, bo byłoby co malować — a także czemu nie zdołałem zebrać dla Ciebie prezentów, nawet tych nielicznych, o które prosiłaś.

Słyszałem, że niemal wszystkie książki Alison Uttley spłonęły. Nie zdołałem znaleźć ani jednego egzemplarza *Moldy Warp*. Spróbuję zdobyć go dla Ciebie następnym razem. Wysyłam kilka innych książek. Mam nadzieję, że Ci się spodobają. Nie mam niczego ponadto, poza wyrazami wielkiej miłości.

Lubię czytać o twoim misiu Bingo. Sądzę jednak, że jest stanowczo zbyt stary i ważny, by wywieszać skarpetę!

Niedźwiedź Polarny uważa, że każdy inny niedźwiedź to jego krewniak, i powiedział do mnie: „Zostaw to mnie, staruszku — (obawiam się, że często mnie tak nazywa). — Sam wybiorę piękny prezent dla Jego Biegunowatości (tak, Biegunowatości!)". Spróbuję zatem jemu powierzyć to zadanie i przywiozę też ów „piękny prezent". Nie mam pojęcia, co w nim jest!

Serdeczne ucałowania od twojego starego przyjaciela
Świętego Mikołaja
i N.P.

MESSIGE TO B.B FROM P.B.

SORRY I COVLD NOT SEND
YOV A REALLY GOOD BOMB
ALL OVR POWDER HAS GONE
VP IN A BIG BANG. YOV WOVLD
HAVE SEEN WOT A REALLY GOOD
EXPLOASHION IS LIKE. IF YOVLD
BEEN THERE.

Wiadomość dla N. Billy'ego od N.P.

Przykro mi, że nie mogłem Ci przysłać porządnej bomby. Cały nasz proch wyleciał w powietrze w wielkim bum. Szkoda, że tego nie widziałeś. To był świetny wybóch. Żałuj, że Cię tu nie było.

Dom na Skale,
Biegun Północny
Wigilia, 1942 rok

Moja droga Priscillo!

Niedźwiedź Polarny twierdzi, że w stosach tegorocznej poczty nie może znaleźć twojego listu do mnie. Mam nadzieję, że go nie zgubił. Jest taki nieporządny. Przypuszczam jednak, że byłaś w tym roku bardzo zajęta; poszłaś przecież do szkoły.

Musiałem sam zgadnąć, co Ci się spodoba. Chyba dostatecznie Cię znam. Na szczęście mamy jeszcze sporo książek i tym podobnych rzeczy. Wiedz jednak, że nigdy nie miałem tak małych zapasów, a moje piwnice nie były tak pełne pustych miejsc (jak mawia Niedźwiedź Polarny).

Mam nadzieję, że wkrótce zdołam je zapełnić, choć ogromne zniszczenia na całym świecie smucą mnie i martwią. Dostarczanie prezentów też stało się trudne. Pomyśl tylko o zrujnowanych domach, bezdomnych ludziach i straszliwej wojnie. Oczywiście, w moim królestwie panuje radość i spokój, jak zawsze*.

W tym roku śnieg spadł wcześnie. Potem nastały pogodne, mroźne noce, dzięki którym śnieg pozostał biały i twardy, a także jasne gwieździste „dni" (oczywiście zimą nie mamy tu słońca).

Cliff House.
NORTH POLE.
CHRISTMAS 1942..

My dear Priscilla,

 P.B. tells me that he cannot find any letter from you among this year's piles. I hope he has not lost any: he is so untidy. Still I expect you have been very busy this autumn at your new School. I have had to guess what you would like. I think I know fairly well, and luckily we are still pretty well off for books and things of that sort. But really you know I have never seen my stocks so low or my cellars so full of empty places (as P.B. says, although he is not an Irish bear). I am hoping that I shall be able to replenish them before long; though there is so much waste and smashing going on that it makes me rather sad and anxious too. Deliveries too are more difficult than ever this year with damaged houses and houseless people and all the dreadful events going on in your countries. Of course it is just as peaceful and merry in my land as ever it was. We had our snow early this year and then nice crisp frosty nights to keep it white and firm, and bright starry days (no sun just now of course). I am giving as big a party tomorrow night as ever I did, polar cubs (P & T. of course among them) and snowboys, and elves. We are having the Tree indoors this year — in the hall at the foot of the great staircase, and I hope P.B. does not fall down the stairs and crash into it after it is all decorated and lit up. I hope you will not mind my bringing this little letter along with your things tonight: I am short of messengers, as some have great trouble in finding people and have been away for days. Just now I caught P.B. in my pantry, and I am sure he had been to a cupboard I do not know why. He had wrapped up a mysterious small parcel which he wants me to bring to you — "well not exactly to you (he said): she has got a bear too, as you ought to remember." Well my dear here is very much love from Father Christmas once more, and very good wishes for 1943

 * No battles at all this year. Quiet as quiet. I think the Goblins were really crushed this time. Windbeam is hanging over the mantlepiece and is quite dusty again, I am glad to say. But P.B. has spent lots of time this year making fresh gunpowder — just in case of trouble. He said "wouldn't that grubby P.T.O

"Little Billy like being here!" I don't know what he was talking about—unless it was about your bear. does he eat gunpowder—?

LOVE FROM F.B.   YOU'LL FIND OUT ABOUT THE PANTRY! HA! HA! I KNOW WOT YOU LIKE. DON'T LET THAT B.B EAT IT ALL.

F.B.

XMAS
1942

J.R.R. Tolkien.

Jutro wieczorem wydaję duże przyjęcie. Zapraszam Niedźwiadki Polarne (wśród nich oczywiście Paksu i Valkotukkę), a także Bałwanki i elfy. W tym roku choinkę ustawiliśmy w domu, w holu, u stóp wielkich schodów. Mam nadzieję, że Niedźwiedź Polarny z nich nie spadnie i nie rozbije udekorowanego drzewka.

Nie pogniewasz się chyba, że sam przyniosę ten liścik wraz innymi prezentami. Bardzo brakuje mi posłańców. Część z nich ma wielkie problemy z odszukiwaniem ludzi i nie wraca całymi dniami. Właśnie przyłapałem Niedźwiedzia Polarnego w spiżarni. Jestem pewien, że węszył w kredensie. Nie wiem czemu.

Zapakował tajemnicze zawiniątko. Chce, żebym Ci je zawiózł... no, nie do końca Tobie.

— Ona ma też niedźwiedzia, pamiętasz chyba? — mówi.

Cóż, moja droga, Święty Mikołaj pozdrawia cię serdecznie i przesyła najlepsze życzenia na rok 1943.

* W tym roku nie stoczyliśmy żadnych bitew. Cicho i spokojnie. Tym razem chyba naprawdę pokonaliśmy gobliny. Podmuch Wiatru wisi nad kominkiem i znów pokrywa go kurz. Cieszę się z tego. Lecz Niedźwiedź Polarny mnóstwo czasu poświęcił sporządzaniu świeżego prochu — na wszelki wypadek. „Temu małemu leniuchowi, Billy'emu, z pewnością by się tutaj spodobało!" — powiedział. Nie mam pojęcia, o co mu chodzi. Chyba że miał na myśli twojego misia. Czy on jada proch?

Niedługo dowiesz się, czego szukałem w spiżarni! Ha, ha! Wiem, co lubisz. Nie pozwól Billy'emu zjeść wszystkiego!

Pozdrawiam, Niedźwiedź Polarny

Cliff House
N.P.
Christmas 1943.

My dear Priscilla

A very happy Christmas! I suppose
you will be hanging up your stocking just once
more: I hope so, for I have still a few little
things for you. After this I shall have to say "goodbye",
more or less: I mean, I shall not forget you. We
always keep the old numbers of our old friends, and their
letters; and later on we hope to come back when they are
grown up and have houses of their own and children.
My messengers tell me that people call it
"grim" this year. I think they mean miserable: and so
it is, I fear, in very many places where I was specially
fond of going (like Germany); but I am very glad to
hear that you are still not really miserable. Don't be!
I am still very much alive, and shall come back again
soon, as merry as ever. There has been no damage in
my country; and though my stocks are running rather low,
I hope soon to put that right.
P.B. — too "tired" to write himself (so he says) —
sends a special message to you: love and a hug! He
says: do ask if she still has a bear called
Billy Billy, or something like that; or is he worn out?
Give my love to the others: John & Michael &
Chris Stopher — and of course to all your pets that
you used to tell me about.

PTO.

I AM
REELY

204

Dom na Skale,
Biegun Północny,
Boże Narodzenie 1943 roku

Moja droga Priscillo!

Wesołych Świąt! Przypuszczam, że w tym roku wywiesisz jeszcze skarpetę. Mam taką nadzieję, bo przygotowałem dla Ciebie kilka drobiazgów. Potem będę musiał się z Tobą pożegnać. No, mniej więcej, bo przecież o Tobie nie zapomnę. Zawsze zachowujemy stare numery naszych dawnych przyjaciół i ich listy, licząc na to, że wrócimy do nich później, kiedy dorosną, i będą mieli własne domy i dzieci.

Posłańcy mówią, że ludzie określają ten rok jako „ponury". Myślę, że chodzi im o nieszczęścia, jakie dotknęły tak wiele miejsc, które szczególnie lubiłem odwiedzać (jak choćby Niemcy). Cieszę się jednak, że Ty nie jesteś nieszczęśliwa. Nie bądź! Ja przecież wciąż żyję! Wkrótce wrócę radosny jak zawsze. Mój kraj nie ucierpiał i chociaż kończą mi się zapasy, mam nadzieję, że wkrótce temu zaradzę.

Niedźwiedź Polarny, zbyt zmęczony, by pisać samemu (tak przynajmniej twierdzi)
bo jezdem, naprawdę

przesyła Ci wiadomość: ucałowania i uściski! Mówi też: Spytaj, czy wciąż ma niedźwiedzia, którego nazywa głuptaskiem Billym albo jakoś podobnie, czy też może go zniszczyła.

Pozdrów ode mnie: Johna, Michaela i Christophera — i oczywiście wszystkie zwierzątka, o których mi opowiadałaś.

Ponieważ nie mam zbyt wielu rzeczy, które zazwyczaj chcesz dostać, przysyłam Ci trochę nowych, czyściutkich pieniędzy — mam ich mnóstwo (przypuszczam, że więcej niż Ty; ale może Tobie przydadzą się bardziej niż mnie). Może zechcesz sobie za nie kupić książkę, o której marzysz.

Serdeczne ucałowania od starego przyjaciela
Świętego Mikołaja

As I have not got very many of the things you usually want, I am sending you some nice bright clean money — I have lots of that (more than you have, I expect, but it is not very much use to me, perhaps it will be to you). You might find it useful to buy a book with that you really want. Very much love from your old friend

Father Christmas

64 leaves

X ^A MERRY CHRISTMAS.

Northmoor Road
Oxford

ENGLAND

December 24 1935 · North Pole

My Dear Children

Here we are again. Christmas seems to come round pretty soon again: always much the same and always different. No INK this and no water, so no painted pictures; also very cold hands, so very wobbly writing. Last year it was very warm, but this year we are frightfully cold—snow, snow, snow, and ice. We have simply buried ourselves in Nova Scotia, if you know where that is, instead of in Scotland; and P.B. if you know who that is, could not get home. This is a picture

SILLY

Christmas House NORTH POLE
1920

Love to Daddy, mummy, Michael & auntie & Mary

Dear John
heard you ask daddy
I was like & where
I have drawn
& My House for you
care of the picture.
just off now for
with my bundle
some for

F.C.

Cliff House
North Pole
December 23rd 1931

My dear Children
I hope you will like the little that I am sending you mostly things of that sort

NOR ME·N FB!

FROM FATHER CHRISTMAS 1928

John & Michael Tolkien
2 Darnley Road
West Park
LEEDS
England
Europe
the World

1935

send you a
Christmas
on a burst
Polar
what P.B. is
Bingos and
I learn?

STUPID JOKE

✳ P B

I SOMEBODY